COLLECTION TEL

*Les Anciens aimaient à mettre en parallèle les vies des hommes illustres ; on écoutait parler à travers les siècles ces ombres exemplaires.*

*Les parallèles, je sais, sont faites pour se rejoindre à l'infini. Imaginons-en d'autres qui, indéfiniment, divergent. Pas de point de rencontre ni de lieu pour les recueillir. Souvent elles n'ont eu d'autre écho que celui de leur condamnation. Il faudrait les saisir dans la force du mouvement qui les sépare ; il faudrait retrouver le sillage instantané et éclatant qu'elles ont laissé lorsqu'elles se sont précipitées vers une obscurité où « ça ne se raconte plus » et où toute « renommée » est perdue. Ce serait comme l'envers de Plutarque : des vies à ce point parallèles que nul ne peut plus les rejoindre.*

MICHEL FOUCAULT

Cet ouvrage a paru dans une collection, « Les vies parallèles », inaugurée par Michel Foucault à cette occasion, dont nous reproduisons en fac-similé la 4ᵉ de couverture.

# Michel Foucault

*présente*

# Herculine Barbin

dite

## Alexina B.

*suivi de*

## Un scandale au couvent
### d'Oscar Panizza

*Préface de l'auteur*

*Postface d'Éric Fassin*

## Gallimard

## DANS LA MÊME COLLECTION

LES MOTS ET LES CHOSES. Une archéologie des sciences humaines, n° 166.

L'ARCHÉOLOGIE DU SAVOIR, n° 354.

HISTOIRE DE LA FOLIE À L'ÂGE CLASSIQUE. Suivi de *Mon corps, ce papier, ce feu* et de *La Folie, l'absence d'œuvre*, n° 9.

HISTOIRE DE LA SEXUALITÉ :
   I. La Volonté de savoir, n° 248.
  II. L'Usage des plaisirs, n° 279.
  III. Le Souci de soi, n° 280.

SURVEILLER ET PUNIR. Naissance de la prison, n° 225.

PRÉFACE

# Le vrai sexe

par Michel Foucault[1]

*Ceci est, avec quelques ajouts, le texte français de la préface à l'édition américaine d'*Herculine Barbin, *dite Alexina B.[2]. Cette édition comporte en appendice la nouvelle de Panizza,* Un scandale au couvent, *qui est inspirée par l'histoire d'Alexina ; Panizza avait dû la connaître à travers la littérature médicale de l'époque. En France, les mémoires d'Herculine Barbin ont été publiés aux Éditions Gallimard et « Un scandale au couvent » se trouve dans un recueil de nouvelles de Panizza, publié sous ce titre général par les éditions de* La Différence. *C'est René de Ceccaty qui m'avait signalé le rapprochement entre le récit de Panizza et l'histoire d'Alexina B.*

---

1. « Le vrai sexe », *Arcadie*, 27ᵉ année, n° 323, novembre 1980, pp. 617-625 ; repris dans *Dits et écrits, IV, 1980-1988*, éd. Daniel Defert et François Ewald, avec Jacques Lagrange, Gallimard, 1994, texte n° 287, pp. 115-123. La version américaine de ce texte (voir n. 2 ci-dessous) comporte de brefs ajouts, que Foucault ne relève pas ici, comme le chat et son sourire qu'Éric Fassin analyse dans sa postface (voir *infra*, p. 233). *(N.d.É.)*

2. « Introduction », in *Herculine Barbin, Being the Recently Discovered Memoirs of a Nineteenth Century French Hermaphrodite*, New York, Pantheon Books, 1980, pp. VII-XVII. *(N.d.É.)*

Avons-nous *vraiment* besoin d'un *vrai* sexe ? Avec une constance qui touche à l'entêtement, les sociétés de l'Occident moderne ont répondu par l'affirmative. Elles ont fait jouer obstinément cette question du « vrai sexe » dans un ordre de choses où on pouvait s'imaginer que seules comptent la réalité des corps et l'intensité des plaisirs.

Longtemps, toutefois, on n'a pas eu de telles exigences. Le prouve l'histoire du statut que la médecine et la justice ont accordé aux hermaphrodites. On a mis bien long-temps à postuler qu'un hermaphrodite devait avoir un seul, un vrai sexe. Pendant des siècles, on a admis tout simplement qu'il en avait deux. Monstruosité qui sus-citait l'épouvante et appelait les supplices ? Les choses, en fait, ont été beaucoup plus compliquées. On a, c'est vrai, plusieurs témoignages de mises à mort, soit dans l'Antiquité, soit au Moyen Âge. Mais on a aussi une juris-prudence abondante et d'un tout autre type. Au Moyen Âge, les règles de droit — canonique et civil — étaient sur ce point fort claires : étaient appelés hermaphrodites ceux en qui se juxtaposaient, selon des proportions qui pouvaient être variables, les deux sexes. En ce cas, c'était le rôle du père ou du parrain (de ceux, donc, qui « nom-maient » l'enfant), de fixer, au moment du baptême, le sexe qui allait être retenu. Le cas échéant, on conseillait de choisir celui des deux sexes qui paraissait l'emporter, ayant « le plus de vigueur » ou « le plus de chaleur ». Mais, plus tard, au seuil de l'âge adulte, lorsque venait pour lui le moment de se marier, l'hermaphrodite était libre de décider lui-même s'il voulait toujours être du sexe qu'on lui avait attribué, ou s'il préférait l'autre. Seul impératif : n'en plus changer, garder jusqu'à la fin de ses jours celui qu'il avait déclaré alors, sous peine d'être considéré comme sodomite. Ce sont ces changements d'option et non pas le mélange anatomique des sexes qui ont entraîné la plupart des condamnations d'hermaphrodites dont on a gardé la trace en France, pour la période du Moyen Âge et de la Renaissance.

[À partir du XVIIIe siècle[1]], les théories biologiques de la sexualité, les conditions juridiques de l'individu, les formes de contrôle administratif dans les États modernes ont conduit peu à peu à refuser l'idée d'un mélange des deux sexes en un seul corps et à restreindre par conséquent le libre choix des individus incertains. Désormais, à chacun, un sexe, et un seul. À chacun son identité sexuelle première, profonde, déterminée et déterminante ; quant aux éléments de l'autre sexe qui éventuellement apparaissent, ils ne peuvent être qu'accidentels, superficiels ou même tout simplement illusoires. Du point de vue médical, cela veut dire qu'en présence d'un hermaphrodite il ne s'agira plus de reconnaître la présence de deux sexes juxtaposés ou entremêlés, ni de savoir lequel des deux prévaut sur l'autre ; mais de déchiffrer quel est le vrai sexe qui se cache sous des apparences confuses ; le médecin aura en quelque sorte à déshabiller les anatomies trompeuses et à retrouver, derrière des organes qui peuvent avoir revêtu les formes du sexe opposé, le seul vrai sexe. Pour qui sait regarder et examiner, les mélanges de sexes ne sont que des déguisements de la nature : les hermaphrodites sont toujours des « pseudo-hermaphrodites ». Telle est du moins la thèse qui a eu tendance à s'accréditer, au XVIIIe siècle, à travers un certain nombre d'affaires importantes et passionnément discutées.

---

1. Les passages entre crochets ne figurent pas dans l'édition américaine.

Du point de vue du droit, cela impliquait évidemment la disparition du libre choix. Ce n'est plus à l'individu de décider de quel sexe il veut être, juridiquement ou socialement ; mais c'est à l'expert de dire quel sexe la nature lui a choisi, et auquel par conséquent la société doit lui demander de se tenir. La justice, s'il faut faire appel à elle (lorsque, par exemple, quelqu'un est soupçonné de ne pas vivre sous son vrai sexe et de s'être abusivement marié), aura à établir ou à rétablir la légitimité d'une nature qu'on n'a pas suffisamment bien reconnue. Mais si la nature, par ses fantaisies ou accidents, peut « tromper » l'observateur et cacher pendant un temps le vrai sexe, on peut bien soupçonner aussi les individus de dissimuler la conscience profonde de leur vrai sexe et de profiter de quelques bizarreries anatomiques pour se servir de leur propre corps comme s'il était d'un autre sexe. En bref, les fantasmagories de la nature peuvent servir aux errements du libertinage. De là, l'intérêt *moral* du diagnostic *médical* du vrai sexe.

Je sais bien que la médecine du XIXᵉ siècle et du XXᵉ a corrigé beaucoup de choses dans ce simplisme réducteur. Nul ne dirait plus aujourd'hui que tous les hermaphrodites sont « pseudo- », même si on restreint considérablement un domaine dans lequel on faisait entrer autrefois, pêle-mêle, beaucoup d'anomalies anatomiques diverses. On admet aussi, avec d'ailleurs beaucoup de difficultés, la possibilité pour un individu d'adopter un sexe qui n'est pas biologiquement le sien.

Pourtant, l'idée qu'on doit bien avoir finalement un vrai sexe est loin d'être tout à fait dissipée. Quelle que soit sur ce point l'opinion des biologistes, on trouve au moins à l'état diffus, non seulement dans la psychiatrie, la psychanalyse, la psychologie, mais aussi dans l'opinion courante, l'idée qu'entre sexe et vérité il existe des relations complexes, obscures et essentielles. On est, c'est certain, plus tolérant à l'égard des pratiques qui transgressent les lois. Mais on continue à penser que certaines d'entre elles insultent à « la vérité » : un homme « passif », une femme « virile », des gens de même sexe qui s'aiment entre eux : on est disposé peut-être à admettre que ce n'est pas une grave atteinte à l'ordre établi ; mais on est assez prêt à croire qu'il y a là quelque chose comme une « erreur ». Une « erreur » entendue au sens le plus traditionnellement philosophique : une manière de faire qui n'est pas adéquate à la réalité ; l'irrégularité sexuelle est perçue peu ou prou comme appartenant au monde des chimères. C'est pourquoi on se défait assez difficilement de l'idée que ce ne sont pas des crimes ; mais moins aisément encore de la suspicion que ce sont des « inventions » complaisantes[1], mais inutiles de toute façon et qu'il vaudrait mieux dissiper. Réveillez-vous, jeunes gens, de vos jouissances illusoires ; dépouillez vos déguisements et rappelez-vous que vous avez un sexe, un vrai.

Et puis on admet aussi que c'est du côté du sexe qu'il faut chercher les vérités les plus secrètes et les plus profondes de l'individu ; que c'est là qu'on peut le mieux découvrir ce qu'il est et ce qui le détermine ; et si pendant des siècles on a cru qu'il fallait cacher les choses du sexe parce qu'elles étaient honteuses, on sait maintenant que c'est le sexe lui-même qui cache les parties les plus secrètes de l'individu : la structure de

---

1. Dans l'édition américaine : « ... des inventions involontaires ou complaisantes... ».

ses fantasmes, les racines de son moi, les formes de son rapport au réel. Au fond du sexe, la vérité.

Au point de croisement de ces deux idées — qu'il ne faut pas nous tromper en ce qui concerne notre sexe, et que notre sexe recèle ce qu'il y a de plus vrai en nous —, la psychanalyse a enraciné sa vigueur culturelle. Elle nous promet à la fois notre sexe, le vrai, et toute cette vérité de nous-même qui veille secrètement en lui.

\*

Dans cette étrange histoire du « vrai sexe », le mémoire d'Alexina Barbin est un document. Il n'est pas unique, mais il est assez rare. C'est le journal ou plutôt les souvenirs laissés par l'un de ces individus auxquels la médecine et la justice du XIXᵉ siècle demandaient avec acharnement quelle était leur véritable identité sexuelle.

Élevée comme une jeune fille pauvre et méritante dans un milieu presque exclusivement féminin et fortement religieux, Herculine Barbin, surnommée dans son entourage Alexina, avait été finalement reconnue comme un « vrai » garçon ; obligé de changer de sexe légal, après une procédure judiciaire et une modification de son état civil, il fut incapable de s'adapter à son identité nouvelle et finit par se suicider. Je serais tenté de dire que l'histoire était banale — n'étaient deux ou trois choses qui lui donnent une particulière intensité.

La date, d'abord. Vers les années 1860-1870, on est justement à l'une de ces époques où s'est pratiquée avec le plus d'intensité la recherche de l'identité dans l'ordre sexuel : sexe vrai des hermaphrodites, mais aussi identification des différentes perversions, leur classement, leur caractérisation, etc. ; bref, le problème de l'individu et de l'espèce dans l'ordre des anomalies sexuelles. C'est sous le titre de *Question d'identité* que fut publiée en 1860 dans une revue médicale la première observation sur A. B.[1] ; c'est dans un livre sur la *Question médico-légale de l'identité*[2] que Tardieu a publié la seule partie de ses souvenirs qu'on ait pu retrouver. Herculine Adélaïde Barbin, ou encore Alexina Barbin, ou encore Abel Barbin, désigné dans son propre texte soit sous le prénom d'Alexina, soit sous celui de Camille, a été l'un de ces héros malheureux de la chasse à l'identité.

Avec ce style élégant, apprêté, allusif, un peu emphatique et désuet qui était pour les pensionnats d'alors non seulement une façon d'écrire, mais une manière de vivre, le récit échappe à toutes les prises possibles de l'identification. Le dur jeu de la vérité, que les médecins imposeront plus tard à l'anatomie incertaine d'Alexina, personne n'avait consenti à le jouer dans le milieu de femmes où elle avait vécu, jusqu'à une découverte que chacun retardait le plus possible et que deux hommes, un prêtre et un médecin, ont finalement précipitée. Ce corps un peu dégingandé, malgracieux, de plus en plus aberrant au milieu de ces jeunes filles parmi lesquelles il grandissait, il semble que nul, en le regardant, ne le percevait ; mais qu'il exerçait sur tous, ou plutôt sur toutes, un certain pouvoir d'envoûtement qui embrumait les yeux et arrêtait sur les lèvres toute question. La chaleur que cette présence étrange donnait aux contacts, aux caresses, aux baisers qui couraient à

---

1. Chesnet, « Question d'identité ; vice de conformation des organes génitaux externes ; hypospadias ; erreur sur le sexe », *Annales d'hygiène publique et de médecine légale*, t. XIV, 1ʳᵉ partie, juillet 1860, pp. 206-209.
2. Tardieu (A.), *Question médico-légale de l'identité dans ses rapports avec les vices de conformation des organes sexuels*, Paris, Baillière, 2ᵉ éd., 1874.

travers les yeux de ces adolescentes était accueillie par tout le monde avec d'autant plus de tendresse que nulle curiosité ne s'y mêlait. Jeunes filles faussement naïves ou vieilles institutrices qui se croyaient avisées, toutes étaient aussi aveugles qu'on peut l'être dans une fable grecque, quand elles voyaient sans le voir cet Achille gringalet caché au pensionnat. On a l'impression — si du moins on prête foi au récit d'Alexina — que tout se passait dans un monde d'élans, de plaisirs, de chagrins, de tiédeurs, de douceurs, d'amertume, où l'identité des partenaires et surtout celle de l'énigmatique personnage autour duquel tout se nouait étaient sans importance.

[Dans l'art de diriger les consciences, on utilise souvent le terme de « discrétion ». Mot singulier qui désigne la capacité de percevoir les différences, de discriminer les sentiments et jusqu'aux moindres mouvements de l'âme, de débusquer l'impur sous ce qui paraît pur et de séparer dans les élans du cœur ce qui vient de Dieu et ce qui est insufflé par le Séducteur. La discrétion distingue, à l'infini s'il le faut ; elle a à être « indiscrète », puisqu'elle a à fouiller les arcanes de la conscience. Mais, par ce même mot, les directeurs de conscience entendent aussi l'aptitude à garder la mesure, à savoir jusqu'où ne pas aller trop loin, à se taire sur ce qu'il ne faut pas dire, à laisser au bénéfice de l'ombre ce qui deviendrait dangereux à la lumière du jour. On peut dire qu'Alexina a pu vivre pendant longtemps dans le clair-obscur du régime de « discrétion » qui était celui des couvents, des pensions et de la monosexualité féminine et chrétienne. Et puis — ce fut son drame — elle est passée sous un tout autre régime de « discrétion ». Celui de l'administration, de la justice et de la médecine. Les nuances, les différences subtiles qui étaient reconnues dans le premier n'y avaient plus cours. Mais ce qu'on pouvait taire dans le premier devait être dans le second manifesté et clairement partagé. Ce n'est plus, à vrai dire, de discrétion qu'il faut parler, mais d'analyse.]

Les souvenirs de cette vie, Alexina les a écrits une fois découverte et établie sa nouvelle identité. Sa « vraie », et « définitive », identité. Mais il est clair que ce n'est pas du point de vue de ce sexe enfin trouvé ou retrouvé qu'elle écrit. Ce n'est pas l'homme qui parle enfin, essayant de se rappeler ses sensations et sa vie du temps qu'il n'était pas encore « lui-même ». Quand Alexina rédige ses mémoires, elle n'est pas très loin de son suicide ; elle est toujours pour elle-même sans sexe certain ; mais elle est privée des délices qu'elle éprouvait à n'en pas avoir ou à n'avoir pas tout à fait le même que celles au milieu desquelles elle vivait, et qu'elle aimait, et qu'elle désirait si fort. Ce qu'elle évoque dans son passé, ce sont les limbes heureuses d'une non-identité, que protégeait paradoxalement la vie dans ces sociétés fermées, étroites et chaudes, où on a l'étrange bonheur, à la fois obligatoire et interdit, de ne connaître qu'un seul sexe ; [ce qui permet d'en accueillir les gradations, les moirures, les pénombres, les coloris changeants comme la nature même de leur nature. L'autre sexe n'est pas là avec ses exigences de partage et d'identité, disant : « Si tu n'es pas toi-même, exactement et identiquement, alors tu es moi. Présomption ou erreur, peu importe ; tu serais condamnable si tu en restais là. Rentre en toi-même ou rends-toi et accepte d'être moi. » Alexina, me semble-t-il, ne voulait ni l'un ni l'autre. Elle n'était pas traversée de ce formidable désir de rejoindre l'« autre sexe » que connaissent certains qui se sentent trahis par leur anatomie ou emprisonnés dans une injuste identité. Elle se plaisait, je crois, dans ce monde d'un seul sexe où étaient toutes ses émotions et tous ses amours, à être « autre » sans avoir jamais à être « de l'autre sexe ». Ni femme aimant les femmes ni homme caché parmi les femmes. Alexina était le sujet sans identité d'un grand désir pour les femmes ; et, pour ces mêmes femmes, elle était un point d'attirance de leur féminité et pour leur féminité, sans que rien les force à sortir de leur monde entièrement féminin.]

La plupart du temps, ceux qui racontent leur changement de sexe appartiennent à un monde fortement bisexuel ; le malaise de leur identité se traduit par le désir de passer de l'autre côté — du côté du sexe qu'ils désirent avoir ou auquel ils voudraient appartenir. Ici, l'intense monosexualité de la vie religieuse et scolaire sert de révélateur aux tendres plaisirs que découvre et provoque la non-identité sexuelle, quand elle s'égare au milieu de tous ces corps semblables.

*

Ni l'affaire d'Alexina ni ses souvenirs ne semblent avoir, à l'époque, soulevé beaucoup d'intérêt[1]. A. Dubarry, un polygraphe auteur de récits d'aventures et de romans médico-pornographiques, comme on les aimait tant à l'époque, a manifestement emprunté pour son *Hermaphrodite* plusieurs éléments à l'histoire d'Herculine

---

1. Dans l'édition américaine : « ... beaucoup d'intérêt. Dans son immense inventaire des cas d'hermaphrodisme, Neugebauer en donne un résumé et une assez longue citation », avec la note suivante : « Neugebauer (F. L. von), *Hermaphroditismus beim Menschen*, Leipzig, 1908, p. 748. À noter que l'éditeur place de manière erronée le nom d'Alexina sous un portrait qui n'est manifestement pas le sien. »

Barbin. Mais c'est en Allemagne que la vie d'Alexina a trouvé un très remarquable écho. Il s'agit d'une nouvelle de Panizza, intitulée *Un scandale au couvent*[1]. Que Panizza ait eu, par l'ouvrage de Tardieu, connaissance du texte d'Alexina, il n'y a rien d'extraordinaire : il était psychiatre et il a fait un séjour en France au cours de l'année 1881. Il s'y intéressa plus à la littérature qu'à la médecine, mais le livre sur la *Question médico-légale de l'identité* a dû lui passer entre les mains, à moins qu'il ne l'ait trouvé dans une bibliothèque allemande quand il y revint en 1882 et exerça pour quelque temps son métier d'aliéniste. La rencontre imaginaire entre la petite provinciale française au sexe incertain et le psychiatre frénétique qui devait mourir à l'asile de Bayreuth a de quoi surprendre. D'un côté, des plaisirs furtifs et sans nom qui croissent dans la tiédeur des institutions catholiques et des pensions de jeunes filles ; de l'autre, la rage anticléricale d'un homme chez qui s'entrelaçaient bizarrement un positivisme agressif et un délire de persécution au centre duquel trônait Guillaume II. D'un côté, d'étranges amours secrètes qu'une décision des médecins et des juges allait rendre impossibles ; de l'autre, un médecin qui après avoir été condamné à un an de prison pour avoir écrit le *Concile d'amour*[2], l'un des textes les plus « scandaleusement » antireligieux d'une époque qui n'en a pourtant pas manqué, fut chassé de Suisse, où il avait cherché refuge, après « un attentat » sur une mineure.

1. Panizza (O.), *Un scandale au couvent* (trad. J. Bréjoux), recueil de nouvelles extraites de *Visionen der Dämmerung*, Munich, G. Müller, 1914 (*Visions du crépuscule*, Paris, Éd. de la Différence, 1979).
2. Panizza (O.), *Das Liebeskonzil. Eine Himmelstragödie in fünf Aufzügen*, Zurich, Verlag Magazin, 1895 (*Le Concile d'amour : tragédie céleste*, trad. J. Bréjoux, Paris, J.-J. Pauvert, 1960).

Le résultat est assez remarquable. Panizza a conservé quelques éléments importants de l'affaire : le nom même d'Alexina B., la scène de l'examen médical. Il a, pour une raison que je saisis mal, modifié les rapports médicaux (peut-être parce que utilisant ses propres souvenirs de lecture sans avoir le livre de Tardieu sous la main il s'est servi d'un autre rapport qu'il avait à sa disposition et qui concernait un cas un peu semblable). Mais il a surtout fait basculer tout le récit. Il l'a transposé dans le temps, il a modifié beaucoup d'éléments matériels et toute l'atmosphère ; et, surtout, il l'a fait passer du mode subjectif à la narration objective. Il a donné à l'ensemble une certaine allure « XVIIIᵉ siècle » : Diderot et *La Religieuse* n'ont pas l'air d'être bien loin. Un riche couvent pour jeunes filles de l'aristocratie ; une supérieure sensuelle portant à sa jeune nièce une affection équivoque ; des intrigues et des rivalités entre les religieuses ; un abbé érudit et sceptique ; un curé de campagne crédule et des paysans qui saisissent leurs fourches pour chasser le diable : il y a là tout un libertinage à fleur de peau et tout un jeu à moitié naïf de croyances pas tout à fait innocentes, qui sont tout aussi éloignés du sérieux provincial d'Alexina que de la violence baroque du *Concile d'amour*.

Mais en inventant tout ce paysage de galanterie perverse, Panizza laisse volontairement au centre de son récit une vaste plage d'ombre : là précisément où se trouve Alexina. Sœur, maîtresse, collégienne inquiétante, chérubin égaré, amante, amant, faune courant dans la forêt, incube qui se glisse dans les dortoirs tièdes, satyre aux jambes poilues, démon qu'on exorcise — Panizza ne présente d'elle que les profils fugitifs sous lesquels les autres la voient. Elle n'est rien d'autre, elle le garçon-fille, le masculin-féminin jamais éternel, que ce qui passe, le soir, dans les rêves, les désirs et les peurs de chacun. Panizza n'a voulu en faire qu'une figure d'ombre sans identité et sans nom, qui s'évanouit à la fin du récit sans laisser de trace. Il n'a même pas voulu la fixer par un suicide où elle deviendrait comme Abel Barbin un cadavre auquel des médecins curieux finissent par attribuer la réalité d'un sexe mesquin.

Si j'ai rapproché ces deux textes et pensé qu'ils méritaient d'être republiés ensemble, c'est d'abord parce qu'ils appartiennent à cette fin du XIXe siècle qui a été si fortement hantée par le thème de l'hermaphrodite — un peu comme le XVIIIe l'avait été par celui du travesti. Mais aussi parce qu'ils permettent de voir quel sillage a pu laisser cette petite chronique provinciale, à peine scandaleuse, dans la mémoire malheureuse de celui qui en avait été le personnage principal, dans le savoir des médecins qui ont eu à intervenir et dans l'imagination d'un psychiatre qui marchait, à sa manière, vers sa propre folie.

*Mes souvenirs*

J'ai vingt-cinq ans, et, quoique jeune encore, j'approche, à n'en pas douter, du terme fatal de mon existence.

J'ai beaucoup souffert, et j'ai souffert seul ! seul ! abandonné de tous ! Ma place n'était pas marquée dans ce monde qui me fuyait, qui m'avait maudit. Pas un être vivant ne devait s'associer à cette immense douleur qui me prit au sortir de l'enfance, à cet âge où tout est beau, parce que tout est jeune et brillant d'avenir.

Cet âge n'a pas existé pour moi. J'avais, dès cet âge, un éloignement instinctif du monde, comme si j'avais pu comprendre déjà que je devais y vivre étranger.

*Soucieux* et rêveur, mon front semblait s'affaisser sous le poids de sombres mélancolies. J'étais *froide*, timide, et, en quelque sorte, insensible à toutes ces joies bruyantes et ingénues qui font épanouir un visage d'enfant.

J'aimais la solitude, cette compagne du malheur, et, lorsqu'un sourire bienveillant se levait sur moi, j'en étais *heureuse*, comme d'une faveur inespérée.

Comme mon enfance, une grande partie de ma

jeunesse s'écoula dans le calme délicieux des maisons religieuses.

Des maisons véritablement pieuses, des cœurs droits et purs présidèrent à mon éducation. J'ai vu de près ces sanctuaires bénis où s'écoulent tant d'existences qui, dans le monde, eussent été brillantes et enviées.

Les modestes vertus que j'ai vues briller n'ont pas peu contribué à me faire comprendre et aimer la religion vraie, celle du dévouement, et de l'abnégation.

Plus tard, au milieu des orages et des fautes de ma vie, ces souvenirs m'apparaissaient comme autant de visions célestes, et dont la vue fut pour moi un baume réparateur.

Mes seules distractions, à cette époque, furent les quelques jours que j'allais passer chaque année dans une noble famille, où ma mère était traitée en amie bien plus qu'en gouvernante. Le chef de cette famille était l'un de ces hommes mûris par les malheurs d'une époque sinistre et désastreuse.

La petite ville de L... où je suis *née* possédait et possède encore un hospice civil et militaire. Une partie de ce vaste établissement était affectée spécialement au traitement des malades des deux sexes, nombre toujours considérable auquel, comme je l'ai dit, venait se joindre celui non moins grand que fournissait la garnison de la ville.

L'autre partie de la maison appartenait tout entière à la jeunesse orpheline et abandonnée qu'une naissance, presque toujours le fruit du crime ou du malheur, a laissée sans soutien dans ce monde. Pauvres êtres, frustrés dès le berceau des caresses d'une mère !

Ce fut dans cet asile de la souffrance et du malheur que je passai quelques années de mon enfance.

J'ai à peine connu mon malheureux père, qu'une mort foudroyante vint ravir trop tôt à la douce affection de ma mère, dont l'âme vaillante et courageuse essaya vainement de lutter contre les envahissements terribles de la pauvreté qui nous menaçait.

Sa situation avait éveillé l'intérêt de quelques nobles cœurs ; on la plaignit vivement, et bientôt des offres généreuses lui furent faites par la digne supérieure de la maison de L...

Grâce à l'influence d'un administrateur, membre distingué du barreau de la ville, je fus *admise* dans cette sainte maison, où je devins l'objet de soins tout particuliers, bien que je vécusse parmi les enfants sans mère, élevées dans ce touchant asile.

J'avais alors sept ans, et j'ai encore présente à l'esprit la scène déchirante qui y précéda mon entrée.

Le matin de ce jour j'ignorais absolument ce qui allait se passer quelques heures après mon lever ; ma mère m'ayant fait sortir comme dans un but de promenade, me conduisit en silence à la maison de L... où m'attendait la digne supérieure ; elle me prodigua les plus affectueuses caresses, pour me cacher sans doute les larmes que répandait en silence ma pauvre mère qui, après m'avoir longtemps *embrassée*, s'éloigna tristement, sentant que son courage était épuisé.

Son départ me serra le cœur, en me faisant comprendre que, désormais, j'appartenais à des mains étrangères.

Mais à cet âge les impressions durent peu, et ma tristesse céda devant les distractions nouvelles qui me furent offertes dans ce but. Tout m'étonna d'abord ; la vue de ces vastes cours, peuplées d'enfants ou de malades, le silence religieux de ces longs corridors troublé seulement par les plaintes de la souffrance, ou le cri d'une agonie douloureuse, tout cela m'émut le cœur, mais sans m'effrayer pourtant.

Les mères qui m'entouraient, offrant à mes regards d'enfant leur sourire d'ange, semblaient tant m'aimer !

J'étais sans crainte à leurs côtés, et si heureuse lorsque l'une d'elles, me prenant sur ses genoux, m'offrait à baiser son doux visage !

Je vis bientôt mes jeunes compagnes, et je les aimai bien vite. De leur part aussi, je me sentais l'objet d'une prédilection presque respectueuse, tant les pauvres enfants comprenaient combien leur sort différait du mien. J'avais, moi, une famille, une mère, et plus d'une fois j'excitai leur envie. Je le compris mieux plus tard. Une querelle d'enfant s'éleva entre nous, je ne me rappelle plus pourquoi l'une d'elles, celle que j'affectionnais le plus, me reprocha amèrement de partager un pain qui n'était pas fait pour moi. Je passe rapidement sur ces premiers temps de ma vie que nul incident sérieux ne vint attrister.

Un jour que, selon mon habitude, j'avais visité quelques malades indigents de la ville, la bonne sœur M... que j'accompagnais dans ces pauvres demeures, et dont, je dois le dire, j'étais l'enfant gâtée, me prévint que j'allais être confiée désormais à d'autres soins. Elle avait obtenu, grâce à son influence généralement reconnue, que je fusse placée au couvent des Ursulines pour y faire ma première communion et recevoir en même temps une éducation plus soignée. Mon premier mouvement, je l'avoue, fut tout à la joie. La bonne religieuse le vit sans doute, car sa noble physionomie exprima une sorte de tristesse jalouse que j'attribuai, non sans raison, à la vivacité de son affection pour moi.

Là, me dit l'excellente femme, vous partagerez l'existence de jeunes filles riches et nobles pour la plupart. Vos compagnes d'études et de jeux ne seront plus les enfants sans nom avec lesquelles vous avez vécu jusqu'à ce jour, et vous oublierez bientôt sans doute celles qui ont remplacé votre mère absente. Je l'ai déjà dit, je crois, j'aimais particulièrement la bonne sœur M..., et je ne pus l'entendre m'accuser ainsi sans en être profondément froissée.

J'avais pris une de ses mains que je serrai dans la mienne, et ne pouvant autrement m'expliquer, car j'étais violemment émue, je la portai à mes lèvres.

Cette protestation muette la rassura sur mes sentiments, sans toutefois lui faire oublier que d'autres maintenant allaient avoir des droits à mon affection, à mon respect.

Quelques jours après je faisais mon entrée au couvent de S..., en qualité de pensionnaire. La bonne sœur M... avait voulu m'y accompagner et me remettre elle-même aux mains de la supérieure de cette maison.

Je n'oublierai jamais l'impression que je ressentis à la vue de cette femme. Je ne vis jamais tant de majestueuse grandeur et une si expressive beauté sous l'habit religieux. La mère Éléonore, ainsi qu'on l'appelait, appartenait, je l'ai su plus tard, à la plus haute noblesse de l'Écosse.

Son maintien était fier et inspirait le respect. On ne pouvait cependant voir de physionomie plus sympathique, plus attrayante. La voir, c'était l'aimer. Elle joignait à des connaissances très-étendues une rare habileté, dont elle avait fait preuve dans la direction des affaires de sa maison. La considération sans bornes dont elle jouissait dans le haut monde en avait fait une autorité dans la ville.

D'autres que moi pourraient l'affirmer, elle la méritait sous tous les rapports. Au jour où j'écris ces lignes elle a cessé d'exister, et je sens que je la regretterai toujours. Son souvenir est encore l'un des plus doux qui me soient restés. Au milieu des agitations incroyables de ma vie j'aimais à me rappeler la suavité de son sourire d'ange, et je me sentais plus heureux.

Je fus bientôt à l'aise dans cette sainte maison, sous l'égide d'une affection dont instinctivement j'étais aussi fier que j'en étais heureux.

Le pensionnat était nombreux, et comme je l'ai dit, il se composait particulièrement de jeunes filles appelées plus tard à occuper un certain rang dans la société, soit par leur naissance, soit par leur position de fortune.

Il y avait donc entre elles et moi une ligne de démarcation naturelle que l'avenir seul pouvait briser.

Je n'eus cependant jamais à souffrir par elles de cette différence que la jeunesse comprend quelquefois trop vite, et dont, à l'instar d'autres grands enfants, elle abuse cruellement.

Toutes m'aimèrent, et je dois le dire, je n'en éprouvai nulle fierté, car je croyais dès lors que mon affection n'avait pas le moindre prix à leurs yeux.

Les études étaient sérieuses et confiées à des mains réellement intelligentes.

*Douée* comme je l'étais d'une véritable aptitude pour les études sérieuses, j'en profitai bientôt avec avantage.

Mes progrès furent rapides et excitèrent plus d'une fois l'étonnement de mes excellentes maîtresses.

Il n'en fut pas de même des travaux manuels pour lesquels je montrai la plus profonde aversion et la plus grande incapacité.

Le temps employé par mes compagnes à la confection

de ces petits chefs-d'œuvre destinés à orner un salon ou à parer un jeune frère, je le passais, moi, à la lecture. L'histoire ancienne ou moderne était ma passion favorite.

J'y trouvais un aliment à ce besoin de connaître qui envahissait toutes mes facultés. Cette occupation chérie avait aussi le privilège de me distraire des tristesses vagues qui alors me dominaient tout entier.

Que de fois je me dispensai de la promenade pour pouvoir, le livre à la main, me promener *seule* dans les magnifiques allées de notre beau jardin, à l'extrémité duquel se trouvait un petit bois planté de marronniers sombres et touffus !

La vue était large, grandiose, et se réjouissait de cette végétation luxuriante des pays méridionaux.

Que de fois aussi Mme Éléonore me surprit au milieu de cette rêverie inexplicable, et comme son regard savait me faire tout oublier ! J'accourais radieuse à sa rencontre, et rarement je n'en obtenais pas un baiser que je rendais par une étreinte pleine d'un charme auquel je ne saurais rien comparer.

J'éprouvais parfois un immense besoin d'affection vive et sincère, et, chose singulière, j'osais à peine la manifester.

Je m'étais fait parmi mes brillantes compagnes une amie de la fille d'un conseiller à la Cour royale de...

Je l'aimai à première vue, et, bien que son extérieur n'eût rien d'éblouissant, il attirait invinciblement par la grâce modeste répandue sur toute sa personne ; sans être beaux, ses traits étaient d'une régularité charmante, et portaient les douloureux stigmates d'un mal qui semble chercher de préférence ses victimes parmi les plus jeunes et les plus heureusement douées. La pauvre

Léa était de ce nombre. À peine âgée de dix-sept ans elle courbait déjà vers la terre un front où se lisaient des souffrances sourdes, mais qui ne devaient pas tarder à prendre un développement effrayant.

J'avais deviné en elle un être souffrant, voué à une mort prématurée.

La situation physique avait-elle opéré entre nous ce rapprochement qu'aurait dû empêcher la différence d'âge qui nous séparait, car je n'avais pas douze ans, c'est ce que je ne saurais expliquer. Certaines sympathies ne s'expliquent pas. Elles naissent sans qu'on les provoque.

À cette même époque j'étais moi-même faible et d'une santé débile.

Mon état n'était pas sans inspirer de sérieuses inquiétudes, ce qui m'explique certains regards des bonnes religieuses qui m'entouraient. J'étais, comme Léa, l'objet de soins constants, et la salle de l'infirmerie nous réunit plus d'une fois.

Je l'entourais d'un culte idéal et passionné tout à la fois.

J'étais son esclave, son chien fidèle et reconnaissant. Je l'aimais avec cette ardeur que je mettais en toutes choses.

J'aurais presque pleuré de joie quand je la voyais abaisser vers moi ces longs cils d'un dessin parfait, dont l'expression était douce comme une caresse.

Comme j'étais *fière* quand elle voulait bien s'appuyer sur moi au jardin.

Les bras entrelacés nous parcourions ainsi de longues allées bordées de chaque côté d'épais buissons de roses.

Elle causait avec cet esprit élevé et incisif qui la caractérisait.

Sa belle tête blonde se penchait vers moi, et je la remerciais par un baiser plein de chaleur.

Léa, lui disais-je alors, Léa, je t'aime ! La cloche de l'étude venait bientôt nous séparer, car mademoiselle de R... s'asseyait sur les bancs de la première. Élève accomplie, son séjour prolongé au couvent n'avait plus pour motif que la culture des arts d'agrément où elle excellait de façon à faire la gloire de ses maîtres.

Le soir venu, nous nous séparions jusqu'au lendemain à l'heure de la messe. Nous passions la nuit dans un dortoir différent. Celui qu'elle occupait communiquait à l'unique vestiaire du pensionnat. J'avais donc quelquefois un prétexte pour la revoir avant de m'endormir. Bien des fois déjà Mme Marie de Gonzague m'avait reproché mes oublis journaliers, me menaçant de ne plus tolérer mes absences du dortoir.

Un soir du mois de mai, je me rappelle, j'avais réussi à tromper sa surveillance. La prière du coucher était faite ; elle venait de descendre pour se rendre chez la mère Éléonore.

Ne l'entendant plus dans l'escalier, je traverse doucement le dortoir, plus une grande salle qui servait aux élèves de musique. J'arrive au vestiaire, me munissant au hasard du premier objet venu, et de là j'atteins sans bruit la cellule que je savais être celle de Léa. Je me penchai sans bruit vers son lit, et l'embrassant à plusieurs reprises, je lui passai autour du cou un petit christ d'ivoire, d'un fort joli travail, qu'elle m'avait paru envier. « Tiens, mon amie, lui dis-je, accepte ceci, et porte-le pour moi. »

J'avais à peine achevé que je reprenais à la hâte le chemin par lequel j'étais *venue*. Mais je n'en avais pas fait la moitié que des pas bien connus me firent tressaillir. Ma maîtresse était derrière moi et m'avait *vue*.

Je m'arrêtai *interdite*, cherchant en vain à comprimer l'orage. N'ayant pas même cette ressource, je l'attendis bravement.

*Mademoiselle*, me dit sèchement la bonne religieuse, je ne vous inflige pas de punition ; la mère Éléonore s'en chargera demain.

Cette menace portait en elle la peine la plus terrible pour moi. Ce que je ressentais pour notre mère c'était une espèce d'adoration affectueuse et soumise plutôt que de la crainte. La pensée d'avoir encouru son mécontentement m'était insupportable.

Je dormis mal cette nuit-là, et mon réveil fut pénible. À la messe, je n'osai tourner la tête de peur de rencontrer son regard.

Pendant la récréation qui suit le déjeuner, une sœur converse vint me dire de me rendre dans le cabinet de la supérieure. J'y entrai en tremblant, comme le condamné devant son juge.

Je crois voir encore cette physionomie sereine et imposante. La noble femme était assise dans un modeste fauteuil, tandis que ses pieds reposaient sur un prie-Dieu, appuyé à la muraille et surmonté d'une grande croix d'ébène.

« Mon enfant, dit-elle, tristement, j'ai su votre infraction au règlement, et si ce n'était en considération de la bonne supérieure qui vous a *confiée* à mes soins, je n'hésiterais pas à vous rayer, pour cette année, de la première communion. Je connais l'attachement qu'elle vous a voué, qu'en toutes circonstances j'ai tâché de remplacer. »

Puis, changeant de ton, et me faisant un signe que je compris, je m'assis à ses pieds sur un petit tabouret.

Je pleurais silencieusement la tête appuyée sur l'un de ses bras qu'elle ne retira pas.

Alors commença pour moi l'une de ces pieuses exhortations qui révélaient toute la grandeur de cette âme vraiment pure et généreuse. Je n'en compris peut-être pas toute l'élévation, mais aujourd'hui que j'ai pu juger des hommes et des choses, les accents de cette voix aimée retentissent délicieusement à mon oreille, et me font battre le cœur ; ils me rappellent cet heureux temps de ma vie où je ne soupçonnais ni l'injustice, ni la bassesse de ce monde que j'étais appelée à connaître sous toutes ses faces.

Je laissai la mère Éléonore le cœur pénétré de la plus douce joie et de la plus sincère gratitude.

La première communion approchait, et avec elle le moment où j'allais dire adieu aux chastes émotions de mon adolescence, car je devais laisser la communauté pour me rendre à Saintes, près de ma mère.

Ce jour était fixé au 16 juillet. Il se leva radieux ; la nature semblait s'associer joyeusement à cette fête de l'innocence et de la candeur.

Vingt-deux jeunes filles allaient s'approcher avec *moi* de la table auguste.

Cet acte solennel, je crois pouvoir dire que je l'accomplis dans les meilleures dispositions.

Après le saint sacrifice, qui fut célébré avec toute la pompe que l'on sait déployer dans les maisons religieuses, le parloir fut ouvert à l'impatience de toutes les mères qui venaient presser dans leurs bras les jeunes héroïnes de la fête.

La mienne m'y attendait et ne put me voir sans verser de ces douces larmes qui sont les plus éloquentes manifestations de l'amour maternel.

Notre entrevue fut trop courte. Les portes se fermèrent bientôt sur elle. Pas une enfant ne devait ce jour-là sortir de l'enceinte sacrée.

Les distractions du monde ne devaient pas troubler la sérénité de ces jeunes âmes nouvellement sanctifiées.

Je n'ai jamais oublié depuis le fâcheux incident qui vint clore cette journée.

La cérémonie touchante du soir fut suivie d'une procession au jardin.

Le lieu était admirablement choisi. On ne saurait imaginer rien de plus imposant que cette longue file d'enfants vêtues de blanc à travers les magnifiques allées de ce modeste Éden.

Les chants religieux, répétés par des voix fraîches et pures, avaient quelque chose de vraiment poétique qui remuait le cœur.

La température, jusque-là tiède et parfumée, devint tout à coup accablante. De gros nuages noirs parcoururent l'horizon et firent présager l'un de ces orages brûlants, si communs sous ce climat élevé. De larges gouttes de pluie vinrent bientôt le confirmer, et lorsque le cortège rentra à la chapelle, de sinistres éclairs sillonnaient déjà l'horizon.

Malgré moi mon cœur se serra. Était-ce un présage de l'avenir sombre et menaçant qui m'attendait ? Et devais-je le voir apparaître en mettant le pied sur ce fragile esquif qu'on appelle le monde ?

Hélas ! la réalité me l'a appris trop vite !... Ce fougueux orage n'était que le prélude de ceux qui m'assaillirent depuis !!!

Je ne pus manger le soir. Un malaise étrange s'était emparé de moi. Avant de m'endormir, j'avais pressé, dans mes bras, ma chère Léa, et le baiser que je lui donnai fut triste comme un dernier adieu !

Elle aussi, j'allais la perdre, sans doute pour toujours ; car nos destinées ne pouvaient nous réunir.

Deux ans après mon départ de L..., j'appris que ma pauvre amie avait succombé à une phtisie des plus caractérisées. Sa mort fut un deuil épouvantable pour sa noble famille dont elle était l'idole. Ainsi fut brisée la première affection de ma vie !

J'entre ici dans une phase de mon existence qui n'a plus rien de semblable avec les jours calmes et tranquilles, passés dans cette riante demeure.

J'étais à B... Ma mère habitait cette ville depuis cinq ans. C'est une antique cité que choisit le grand roi pour en faire une importante place de guerre, et dont le nom se trouve mêlé à de grands événements politiques.

J'éprouve quelque hésitation au moment de commencer la partie la plus pénible de la tâche que je me suis imposée.

J'ai à parler de choses qui, pour plusieurs, ne seront que d'incroyables absurdités ; car elles dépassent, en effet, les limites du possible.

Il leur sera difficile sans doute de se rendre un compte exact de mes sensations, au milieu des bizarreries exceptionnelles de ma vie.

Je ne puis leur demander qu'une chose : c'est qu'ils soient, avant tout, convaincus de ma sincérité.

J'avais quinze ans, et il faut se rappeler que, depuis l'âge de sept ans, j'étais absolument *séparée* de ma mère.

Je ne la voyais qu'à de rares intervalles. Mon arrivée à B..., dans la maison où elle se trouvait, avait toujours été fêtée comme s'il se fût agi d'un membre de la famille. Cette fois, j'y rentrais définitivement. Cinq personnes composaient cette famille.

Celui qui en était le chef, vénérable vieillard à cheveux blancs, était bien la personnification vivante de l'honneur et de la loyauté.

Près de lui se trouvait sa fille cadette. Tous les instincts généreux de ce père adoré se reproduisaient en cette âme fière que n'avaient pu abattre les cuisants chagrins d'une union malheureuse.

Madame de R... avait trois enfants sur qui elle avait reporté l'inépuisable tendresse dont son cœur était plein.

Elle avait voué à ma mère l'un de ces attachements profonds qui ne s'arrêtent pas aux distances sociales quand ils savent être compris et appréciés. Malgré le rang subalterne qu'elle occupait, ma mère était à ses yeux une amie, une confidente.

Madame de R... n'eut bientôt qu'un désir : celui de me garder dans la maison en m'attachant à sa fille, âgée alors de dix-huit ans. Avec ma fierté naturelle, j'eusse certainement repoussé une pareille proposition, venue d'une étrangère.

Ici, la position changeait. J'étais près de ma mère, dans une famille que, peu à peu, je m'étais *habituée* à considérer comme la mienne propre, j'acceptai donc, à la grande satisfaction de tout le monde.

Mademoiselle Clotilde de R... joignait à une grande beauté une certaine hauteur qu'elle oubliait seulement vis-à-vis de moi. Elle ne voyait en moi qu'*une* enfant que l'on pouvait, sans se compromettre, traiter sur un pied d'égalité.

Me voilà donc sa *camériste.*

Quoique ne possédant pas toutes les qualités de mon état, je restai toujours dans ses bonnes grâces.

Ma chambre à coucher n'était séparée de la sienne que par un petit salon d'attente.

J'assistais le matin à son lever, toujours matinal, en été comme en hiver. Je l'habillais ensuite, et, pendant cette opération, nous discourions à qui mieux mieux sur tous les sujets possibles. Si le silence s'établissait, je me prenais à l'admirer naïvement. La blancheur de sa peau n'avait pas d'égale. Il était impossible de rêver des formes plus gracieuses sans en être ébloui.

C'est ce qui m'arrivait. Je ne pouvais quelquefois m'empêcher de lui adresser un compliment qu'elle recevait de la meilleure grâce du monde, sans en être ni surprise, ni plus vaine.

Changeant alors de terrain, elle s'informait de ma santé qui ne s'était guère améliorée, malgré les soins délicats qui m'étaient donnés avec profusion. Me plaignais-je d'une indisposition, il fallait suivre tel ou tel régime. Les conseils, à cet égard, étaient des ordres qu'il fallait suivre, sous peine de manquer à l'obéissance.

Souvent même, il eût fallu, pour une misère, recourir immédiatement au médecin.

Celui-ci venait fréquemment à l'hôtel, à cause de l'état habituel de souffrances dans lequel se trouvait mon noble bienfaiteur, monsieur de Saint-M... Des douleurs aiguës le tenaient, presque constamment, cloué sur son lit, ou dans un immense fauteuil. Ma mère seule avait le privilège de le calmer, au milieu des crises atroces qui l'agitaient.

J'avais chez lui mes grandes et mes petites entrées. J'étais *sa lectrice*, son secrétaire. Quand sa santé le permettait, et c'était pour lui une distraction chère, il me faisait relire et compulser minutieusement d'énormes liasses de papiers de famille. « Approche-toi près de moi, Camille, me disait-il, et cherche si tu trouveras telle ou telle lettre, relative à l'affaire que tu sais. » Je lisais lentement, le regardant à la dérobée pour voir si je l'avais satisfait.

La lecture finie, je cherchais encore et je trouvais des fragments de correspondance intime. C'étaient, pour la plupart, des lettres d'une sœur ou de son frère aîné, brave général de l'empire, blessé glorieusement sur nos grands champs de bataille. J'étais toujours heureux d'une pareille rencontre, car elle lui fournissait le sujet d'une foule de récits que j'écoutais avec une avidité sans égale.

Bien que je fusse très-jeune, il m'accordait une confiance sans bornes.

Je l'ai déjà dit, j'avais beaucoup lu. Mon jugement s'était développé de bonne heure. À l'âge où l'on appartient encore à l'adolescence, j'étais *sérieuse*, *réfléchie*, et aucun des principaux faits de notre histoire, si riche en événements, ne m'était inconnu.

À des heures fixes, ma jeune maîtresse venait s'asseoir près de son aïeul, dont elle était la favorite ; mais sa présence n'interrompait pas le travail commencé.

Le soir venu, je lisais le journal.

Pendant cette lecture, il lui arrivait toujours de fermer les yeux, et de renverser la tête sur ses coussins. Les premières fois, le voyant endormi je m'arrêtais.

Il s'en apercevait aussitôt.

Es-tu *fatiguée*, me dit-il, et sur ma réponse négative, il me faisait continuer. Je devais tout lire, sauf le feuilleton.

Il est vrai que je ne le perdais pas pour cela. Seulement je le lisais *seule*.

Je dévorai ainsi une nombreuse collection d'ouvrages

anciens et modernes, entassée dans les rayons d'une bibliothèque attenant à ma chambre.

Plus d'une fois, cette occupation me surprit à une heure très-avancée de la nuit. C'était ma récréation, mon délassement. J'y acquis plus d'un enseignement utile, je dois le dire.

J'avoue que je fus singulièrement *bouleversée* à la lecture des métamorphoses d'Ovide. Ceux qui les connaissent peuvent s'en faire une idée. Cette trouvaille avait une singularité que la suite de mon histoire prouvera clairement.

Les années s'écoulaient. J'atteignais ma dix-septième. Mon état, sans présenter d'inquiétudes, n'était plus naturel.

Le médecin consulté reconnaissait chaque jour l'inefficacité des remèdes les plus significatifs. Il avait fini par ne plus s'en préoccuper, attendant tout du temps. Pour mon compte je n'en étais nullement *effrayée*.

Mademoiselle Clotilde de R... avait vingt ans, son mariage était projeté depuis longtemps avec l'un de ses cousins, héritier, par sa mère, d'une brillante fortune, et porteur d'un nom à jamais célèbre dans les fastes de la marine française.

Son retour, si vivement attendu par la belle fiancée qui lui était promise, fut immédiatement suivi des préliminaires essentiels de leur union.

Sans être un type de beauté, Raoul de K... était l'un de ces hommes qui plaisent au premier abord.

Sa physionomie ouverte, empreinte d'un caractère de distinction native, en faisait un homme séduisant, sinon un beau cavalier. Toute femme devait être fière de lui appartenir.

Ce que je puis affirmer, c'est qu'il était aimé aussi

ardemment que le permettait la nature d'ange de la pure jeune fille dont il allait faire sa femme.

De grandes fêtes de famille attendaient les jeunes époux au château de C..., résidence habituelle de madame de K...

Ils s'y rendirent huit jours après la célébration du mariage, auquel ne put assister monsieur de Saint-M..., son état le condamnant à une claustration rigoureuse.

Après avoir reçu la bénédiction de son aïeul vénéré, cette adorable femme m'embrassa avec attendrissement, me faisant promettre de ne jamais l'oublier, dans aucune circonstance de ma vie.

Elle était loin de moi avant que je fusse en état de lui répondre.

Cette scène m'avait *anéantie.*

Je ne pus revoir sans pleurer le coquet appartement qu'avait occupé ma maîtresse. Une sensation indéfinissable me torturait à l'idée qu'elle ne serait plus là le matin pour me donner son premier sourire, sa dernière parole avant de s'endormir.

Un changement allait s'accomplir dans ma destinée. Il me fallait maintenant une nouvelle occupation.

L'excellent curé de la paroisse, ami de la maison, et mon guide spirituel, me donna l'idée de me vouer à l'enseignement. Avec mon autorisation, il en fit part à ma mère ainsi qu'à mon bienfaiteur. Cette proposition leur plut à tous deux, comme je m'y attendais.

Elle me déplaisait à moi souverainement. J'avais pour cette profession une antipathie non raisonnée, mais profonde.

La perspective d'être *ouvrière* ne me flattait pas davantage. Je croyais mériter mieux que cela.

Un soir que j'avais fait à monsieur de Saint-M... sa

lecture quotidienne, et que ma mère, assise à mes côtés, lui préparait son thé, dont une part me revenait toujours, je les vis se consulter du regard, comme pour se demander qui devait commencer.

Ce fut lui. *Camille*, me dit-il, tu as reçu un bon commencement d'instruction. Tu es *intelligente* ; il ne tient qu'à toi d'entrer bientôt à l'école normale de... Avec ta facilité tu en sortiras, d'ici deux ans, munie d'un brevet de capacité. Nulle carrière ne peut mieux convenir à tes idées et à tes principes.

Ses paroles m'avaient *touchée*, et j'étais *frappée* d'ailleurs de la justesse de son raisonnement, en lequel j'avais une foi inébranlable. Ma résolution fut aussi prompte que ma réponse. Je le remerciai avec effusion, lui promettant de justifier la bonne opinion qu'il avait de moi.

Ma mère ne fut pas moins heureuse de ma réponse ; elle l'attendait avec une impatience que l'on comprendra, en songeant que ce rêve satisfaisait à la fois son orgueil et ses inquiétudes maternelles pour mon avenir.

C'en était fait. Mon sort était fixé. Cette soirée avait décidé du reste de ma vie ! Mais, Seigneur ! qu'il fut différent de celui qu'on en attendait !!

J'envisageais maintenant sans terreur la nouvelle carrière que j'avais acceptée, car je n'en pouvais rêver d'autre. Dire que j'en étais heureux, serait mentir. Elle n'avait que mon indifférence.

Je me mis néanmoins à l'œuvre, *poussée* que j'étais par l'ambition de réussir. Qui n'a éprouvé cette ardeur fiévreuse à la veille d'un jour qui doit vous trouver en présence d'une commission d'examen ?

L'école normale de... recevait chaque année douze jeunes filles, au compte du département. Chacune

d'elles, avant d'y entrer, subissait un examen prépara-
toire, lequel était passé généralement par l'inspecteur
d'académie. L'abbé N... m'avait donné à cet égard tous
les renseignements nécessaires.

Pendant que ma mère s'occupait de mon trousseau, je
travaillais activement, et en quelques mois je me trouvai
suffisamment *préparée* à cette première lutte. Le mois
d'août approchait, époque à laquelle ont lieu les examens. Depuis longtemps j'avais déposé à l'inspection
d'académie mon extrait de naissance, ainsi qu'un certificat de moralité, visé par la mairie.

Nous étions au 18 août. L'école normale de... présentait cette année-là une dizaine d'aspirantes au brevet de
capacité. Parmi elles se trouvait une sœur de ma mère,
mon aînée de quelques années seulement, ce qui me la
faisait regarder comme ma sœur propre.

À cause d'elle j'étais *connue* déjà, et de ses compagnes
et de la bonne supérieure qui les accompagnait.

Cette dernière me regardait donc comme sa future
élève, et me traita avec une bonté toute particulière.

J'en étais redevable à la touchante prédilection qu'elle
avait pour ma tante, l'une de ses plus chères élèves, et
dont elle n'eût pas voulu se séparer.

Dire que j'étais *heureuse* de la perspective que m'offrait cette carrière serait parfaitement faux. Je l'embras-
sais sans dégoût, il est vrai, mais aussi sans attrait. Je
ne soupçonnais pourtant pas alors les difficultés sans
nombre d'un état le plus servile de tous, celui d'institutrice.

Certes, tout le monde sait aujourd'hui dans quelle
honteuse dépendance, pour notre époque, sont placés les maîtres et maîtresses de pensions. En butte à
la calomnie, à la médisance d'une population qu'ils

doivent régénérer, il leur faut subir aussi l'influence fatale et despotique d'un prêtre jaloux de son pouvoir qui, s'il ne peut en faire ses esclaves, les écrasera bientôt sous le poids des haines qu'il aura soulevées sous leurs pas. Ce que j'ai vu me permettrait d'en citer plus d'un exemple. Le moment n'est pas arrivé.

Mais il est un écueil inévitable que je viens signaler ici. Peut-être vais-je soulever contre moi le rire de l'incrédulité. Quoi qu'il en soit, je crois remplir un devoir, et j'affirme que, à part d'honorables exceptions, les fonctionnaires que j'ose attaquer ici sont plus nombreux que je n'ose le dire.

Après le curé de la commune l'institutrice n'a pas de plus terrible ennemi que l'inspecteur primaire. C'est son chef immédiat, c'est l'homme qui tient en ses mains tout son avenir. Un mot de lui à l'académie, un rapport au préfet, peut la mettre au ban de tout le corps enseignant.

Supposez alors, ce que j'ai vu, un homme arrivé au poste d'inspecteur primaire au moyen de manœuvres plus ou moins jésuitiques. Incapable d'apprécier le talent ou le mérite d'une maîtresse de pension qui, trop souvent, pourrait le prier de s'asseoir, non pas au fauteuil d'honneur, mais bien sur les bancs de ses élèves les plus ignares : voilà l'homme.

Il se gardera donc bien d'entamer un sujet sérieux ; il échouerait. Il s'attachera à des futilités plus ridicules les unes que les autres, tout en effrayant les enfants de façon à leur ôter toute possibilité de répondre, ce qui arrive en effet. De là des reproches pour l'institutrice, un ton de menace devant lequel il lui faut s'incliner pour ne pas être anéantie sous la supériorité éclatante de M. le délégué de l'Académie.

Supposez encore, ce qui est quelquefois vrai, que l'institutrice soit jolie, et que M. l'inspecteur en ait été touché, car ces messieurs peuvent être doués d'une certaine perspicacité. On peut bien leur accorder celle-là. Sous le coup d'une disgrâce, la pauvre jeune fille, pour ne pas se voir retirer le morceau de pain qui la fait vivre elle et son vieux père, se fera plus sensible, plus petite devant l'arrogance de son supérieur. Enchanté d'avoir fait trembler une enfant, celui-ci s'apaise un peu et finit par un compliment, qui, dans la bouche d'un autre, pourrait passer pour une insulte. Mais peut-on répondre impoliment à M. l'inspecteur ? Non. Il le sait bien. On ne peut pas non plus rester indifférente aux promesses d'avancement qu'il veut bien faire.

On est arrivé dans le petit salon. Ce monsieur veut bien accepter une collation. Là il n'est plus question d'enseignement ; il cause familièrement ; ce terrain lui est plus familier. Ses paroles mielleuses se font de plus en plus claires. Après avoir menacé, il promet, mais il demande, et là son langage est tout à fait significatif.

Sous peine d'encourir sa haine, il peut parfaitement arriver qu'on soit généreuse à son tour !!!...

Il peut arriver aussi qu'on prie poliment M. l'inspecteur de passer la porte au plus vite, en le priant de ne plus la franchir.

Et dans ce cas-là il arrive toujours que l'institutrice est perdue. Ira-t-elle lutter contre un homme dont la haute moralité est proverbiale ? Elle y répugne d'abord parce que ce serait se compromettre sans le perdre, lui : elle se tait donc. De là les vexations de toute sorte, les notes se succédant à la préfecture, et suivies de semonces effrayantes.

Si avec tout cela son curé est contre elle, c'est fini, il

lui faut céder le terrain. Ne pouvant la chasser, il met tout en œuvre pour décider les familles à placer leurs enfants chez les bonnes sœurs qu'on a eu soin d'appeler dans la localité.

J'ai vu se passer sous mes yeux de ces scènes vraiment incroyables de bassesse indigne, d'abus de pouvoir trop révoltants pour que j'essaye de les raconter.

Loin de moi la pensée d'avoir voulu porter atteinte à l'honorabilité de cette classe laborieuse et si digne d'intérêt, vouée à la pénible tâche de l'enseignement parmi nos populations des campagnes.

Personne plus que moi n'a été à même d'apprécier leur bonne volonté pour le bien, leurs efforts incessants pour tout ce qui touche au côté moral de la civilisation. Mon unique but a été de soulever une question de moralité publique.

J'étais *admise* à l'école normale de... Quelques lieues à peine m'en séparaient. Ce voyage néanmoins était un événement pour moi. Il fallait traverser l'Océan ; donc j'allais y trouver les charmes de la nouveauté.

Arrivé à D..., le capitaine me fit conduire au couvent. Son aspect était simple et modeste comme la vie de celles qui l'habitaient.

Je ne sais quel trouble inexprimable vint me saisir lorsque je franchis le seuil de cette maison. C'était de la douleur, de la honte. Ce que j'éprouvai, nulle parole humaine ne pourrait l'exprimer.

Cela paraîtra incroyable, sans doute, car enfin je n'étais plus *une* enfant, j'avais dix-sept ans, et j'allais me trouver en face de jeunes filles, dont quelques-unes en avaient à peine seize. L'accueil si affectueux de la bonne supérieure m'avait *laissée* insensible, et, chose étrange, lorsque, *conduite* par elle, j'arrivai à la classe

des élèves-maîtresses, la vue de tous ces frais et char-
mants visages qui me souriaient déjà me serra le cœur.

Sur tous ces jeunes fronts je lisais la joie, le conten-
tement, et je restais triste, *épouvantée !* Quelque chose
d'instinctif se révélait en moi, semblant m'interdire
l'entrée de ce sanctuaire de virginité. Un sentiment qui
dominait en moi, l'amour de l'étude, vint faire diversion
à la bizarre perplexité qui s'était emparée de tout mon
être.

Les aspirantes au brevet de capacité étaient au
nombre de vingt à vingt-cinq. Néanmoins, à part notre
classe, le même établissement comptait une centaine au
moins de petites filles, tant pensionnaires qu'externes,
formant deux classes séparées. Un immense dortoir,
composé de cinquante lits à peu près, nous réunissait
toutes.

Aux deux extrémités de cette pièce on voyait un lit
garni de rideaux blancs, occupé chacun par une religieuse. *Habituée* depuis longtemps à avoir une chambre
pour moi, je souffris énormément de cette espèce de
communauté. L'heure du lever surtout était un supplice
pour moi, j'aurais voulu pouvoir me dérober à la vue de
mes aimables compagnes, non pas que je cherchasse à
les fuir, je les aimais trop pour cela, mais instinctivement j'étais honteux de l'énorme distance qui me séparait d'elles, physiquement parlant.

À cet âge où se développent toutes les grâces de la
femme, je n'avais ni cette allure pleine d'abandon, ni
cette rondeur de membres qui révèlent la jeunesse
dans toute sa fleur. Mon teint, d'une pâleur maladive,
dénotait un état de souffrance habituelle. Mes traits
avaient une certaine dureté qu'on ne pouvait s'empêcher de remarquer. Un léger duvet qui s'accroissait tous

les jours couvrait ma lèvre supérieure et une partie de mes joues. On le comprend, cette particularité m'attirait souvent des plaisanteries que je voulus éviter en faisant un fréquent usage de ciseaux en guise de rasoirs. Je ne réussis, comme cela devait être, qu'à l'épaissir davantage et à le rendre plus visible encore.

J'en avais le corps littéralement couvert, aussi évitais-je soigneusement de me découvrir les bras, même dans les plus fortes chaleurs, comme le faisaient mes compagnes. Quant à ma taille, elle restait d'une maigreur vraiment ridicule. Tout cela frappait l'œil, je m'en apercevais tous les jours. Je dois le dire, pourtant, j'étais généralement *aimée* de mes maîtresses et de mes compagnes, et cette affection je la leur rendais bien, mais d'une façon presque craintive. J'étais *née* pour aimer. Toutes les facultés de mon âme m'y poussaient ; sous une apparence de froideur, et presque d'indifférence, j'avais un cœur de feu.

Cette malheureuse disposition ne tarda pas à m'attirer des reproches et à me rendre l'objet d'une surveillance que je bravais ouvertement.

Je me liai bientôt d'une étroite amitié avec une charmante jeune fille nommée Thécla, plus âgée que moi d'une année. Certes rien n'était plus opposé extérieurement que notre physique. Mon amie était aussi fraîche, aussi gracieuse que je l'étais peu.

On ne nous appela que les inséparables, et, en effet, nous ne nous perdions pas de vue d'un seul instant.

L'été on faisait l'étude dans le jardin, nous y étions l'une près de l'autre, les deux mains enlacées pendant que l'autre tenait le livre. De temps à autre le regard de notre maîtresse s'attachait sur moi au moment où je me penchais vers elle pour l'embrasser, tantôt sur le front, et, *le croirait-on de ma part*, tantôt sur les lèvres. Cela se répétait vingt fois dans une heure. Alors on me condamnait à me placer à l'extrémité du jardin, ce que je ne faisais pas toujours de bonne grâce. À la promenade, les mêmes scènes se renouvelaient. Par une étrange fatalité nous étions placées au dortoir, moi au n° 2, elle au n° 12. Mais cela ne m'embarrassait guère. Comme je ne pouvais me coucher sans l'embrasser, je manœuvrais de façon à me trouver encore debout quand tout le monde était au lit. Marchant sur la pointe du pied, j'arrivais jusqu'à elle. Mes adieux terminés, je fus surprise quelquefois par ma maîtresse, dont je n'étais *séparée* que par le n° 1. Les prétextes que je donnais à mes escapades furent admis dès l'abord ; mais il n'en pouvait toujours être ainsi. L'excellente femme m'aimait réellement, je le savais, et ces façons d'agir l'affligeaient tout en la surprenant de ma part. D'un autre côté, comme nous n'étions pas des enfants, elle nous prenait par le cœur et non pas par des punitions.

Le lendemain donc elle trouvait le moyen de m'appeler *seule* au jardin, et là, me prenant les mains dans les siennes, comme elle eût fait d'une sœur, elle me faisait les plus touchantes exhortations pour me rappeler au sentiment d'une réserve que commandaient la morale et le respect dû à une maison religieuse. Je ne l'écoutais jamais sans pleurer, tant elle savait s'inspirer de ces accents qui n'avaient rien d'humain.

J'ai assez vécu pour pouvoir dire qu'il est impossible de trouver rien de comparable à cette nature d'élite. L'homme le plus sceptique qui soit au monde, je le défie de vivre près d'une créature aussi noble, aussi pure, aussi véritablement chrétienne, sans se sentir porté à chérir une religion capable d'enfanter de pareils caractères. On me répondra qu'ils sont rares ; je le sais, malheureusement ; mais ils n'en sont que plus admirables, et si tous n'atteignent pas une telle perfection, qui donc oserait l'exiger en eux ?

Sainte et noble femme ! Ton souvenir m'a soutenu dans les heures difficiles de ma vie !! Il m'est apparu au milieu de mes égarements, comme une vision céleste à qui j'ai dû la force, la consolation !!

Aussi humble et modeste qu'elle était vraiment grande, la sœur Marie-des-Anges écartait avec soin toute conversation qui pût confirmer ce qu'on savait déjà de sa haute origine. Fille d'un général dont la carrière fut des plus brillantes par le poste important qu'il occupa longtemps dans la diplomatie, elle avait renoncé de bonne heure à l'avenir que lui promettaient son nom et sa fortune pour se consacrer uniquement au service des pauvres et des malades. Ses connaissances étendues et des plus rares chez une femme l'avaient fait désigner par ses supérieurs pour diriger l'école normale de D… Dire qu'elle était aimée de ses élèves serait trop peu. Toutes l'adoraient. Aussi avait-elle rarement l'occasion de nous adresser un reproche, quelque léger qu'il fût ; ses désirs étaient pour nous des ordres que nous exécutions avant même qu'ils fussent formulés.

Les inspecteurs la connaissaient bien, aussi leurs visites étaient-elles rares et généralement courtes.

Les études pour les élèves-maîtresses étaient réglées de la sorte : le matin, été comme hiver, le réveil sonnait à cinq heures. À six heures la messe, soit à la chapelle, soit à la paroisse, qui n'était qu'à cinq minutes à peine de la communauté.

À sept heures l'étude, jusqu'à huit, heure à laquelle sonnait le déjeuner. À neuf heures la classe commençait.

La matinée était consacrée aux exercices de français, de style, d'écriture et de géographie.

À onze heures, le dîner, puis la récréation pour les jeunes pensionnaires et externes. Le temps qu'elle durait était pour nous à peine suffisant pour achever les devoirs du matin. De une heure à quatre heures et demie on s'occupait de mathématiques, de lecture et de français. Certains jours étaient réservés à la musique vocale et au dessin. À partir de cinq heures nous étions libres, mais non pas sans travail, et je dois dire que ce n'était pas pour nous une charge. Pas une minute n'était perdue pour nous. S'il arrivait que nous fussions en avance, nous en profitions, soit pour les travaux d'aiguille, soit pour résoudre une question nouvelle et embarrassante. De là venaient nos progrès rapides. Mon aversion pour les travaux manuels allait toujours croissant. Je me demandais quelquefois ce qu'il arrive-rait un jour lorsqu'il me faudrait avouer ma profonde incapacité vis-à-vis de mes élèves. Pendant que mes compagnes se fortifiaient dans ce genre d'exercice, je me livrais à ma distraction favorite, la lecture.

L'été, quand le temps le permettait, nous faisions après le souper une promenade au bord de la mer. Les religieuses nous accompagnaient, mais sans se mêler aucunement à nous. Une plage immense, presque tou-jours déserte, s'étendait le long des murs mêmes de la communauté, dont elle n'était séparée que par un rem-part. La vue était délicieuse, surtout lorsque la tempête, chose fréquente dans cette partie sauvage du littoral, venait bouleverser l'élément terrible qui nous entourait. Les orages, sur ces côtes arides, avaient un caractère vraiment effrayant, dont on ne peut se faire une idée.

J'ai assisté une fois à l'une de ces scènes horribles,

dont le souvenir ne m'a jamais *laissée*. Je n'ai jamais rien vu de semblable depuis ce jour.

C'était vers le milieu du mois de juillet.

La journée avait été accablante. Pas un souffle ne venait rafraîchir l'air qui, le soir encore, était brûlant. Comme d'habitude, nous avions été, après le souper, faire une heure de promenade sur le rempart. À ce moment il se fit un changement subit d'atmosphère. De violentes rafales venant de la mer s'élevèrent tout à coup en même temps que des nuages sombres se montraient à l'horizon.

Évidemment une bourrasque allait éclater.

J'avais hâte de rentrer, car depuis mon arrivée à D... l'orage me causait une frayeur que je n'avais pas encore ressentie. Thécla s'appuyait à mon bras qui tremblait déjà malgré mes efforts pour le dissimuler.

On se disposait à nous faire rentrer quand un éclair horrible vint me clouer à ma place. Le ciel s'était entr'ouvert, laissant tomber la foudre qui s'abattait à quelques mètres de la place où nous nous trouvions, mais sans laisser aucune trace de son passage.

J'étais *terrifiée*. L'ouragan n'était cependant pas encore dans toute sa force.

Vers minuit il redoubla d'intensité. Les éclairs se succédaient avec une rapidité toujours croissante, et rendaient parfaitement inutile la veilleuse qui brûlait au dortoir.

Personne ne dormait. Les deux religieuses avaient ouvert leurs rideaux et faisaient à haute voix des prières auxquelles répondaient quelques-unes de mes compagnes.

Rien n'était plus triste que le son monotone de ces voix mêlé aux éclats grossissants du tonnerre.

La tête enfouie sous mes couvertures, je ne respirais plus qu'à peine. N'y pouvant plus tenir, je me dégageai un peu pour regarder autour de moi.

Moins effrayée, l'élève placée à mes côtés s'était levée et s'approchait de mon lit pour me rassurer. J'avais saisi une de ses mains quand une lueur épouvantable vint embraser tout l'appartement.

Le craquement qui la suivit immédiatement fut tel que je n'en ai jamais entendu de semblable.

En même temps la fenêtre, placée au-dessus de mon lit, s'ouvrit avec fracas. *Éperdue*, je poussai un cri de détresse qui, joint à ce qui l'avait précédé, fit croire à un malheur véritable.

Avant qu'on eût pu se rendre compte de ce qui se passait, j'avais franchi, je ne sais comment, le lit qui me séparait de ma maîtresse.

Mue comme par un ressort électrique, j'étais *tombée anéantie* dans les bras de sœur Marie-des-Anges, qui ne put se dégager de mon étreinte imprévue.

Ses deux bras s'attachaient à mon cou, tandis que ma tête s'appuyait avec force contre sa poitrine, couverte seulement d'un vêtement de nuit.

Le premier moment de frayeur apaisé, sœur Marie-des-Anges me fit remarquer doucement l'état de nudité dans lequel je me trouvais. Certes, je n'y songeais pas, mais je la compris sans l'entendre.

Une *sensation inouïe* me dominait tout *entière* et m'accablait de honte.

Ma situation ne peut s'exprimer.

Quelques élèves entouraient le lit et regardaient cette scène, ne pouvant attribuer qu'au sentiment de la peur le tremblement nerveux qui m'agitait… Je n'osais maintenant ni me relever, ni affronter les regards fixés sur moi. Mon visage décomposé était couvert d'une pâleur livide. Mes jambes pliaient sous moi.

Émue de pitié, mon excellente maîtresse me prodiguait les plus tendres encouragements. J'étais *retombée* sur les genoux, la tête appuyée sur le lit. Ma maîtresse essaya de la soulever d'une main, tandis que l'autre s'appuyait sur mon front. Je sentis que cette main me brûlait.

Je l'écartai brusquement et l'appuyai sur mes lèvres avec un sentiment de bonheur qui m'était inconnu. En tout autre temps elle m'eût reproché ce mouvement de familiarité qu'elle ne tolérait jamais. Elle se contenta de la retirer, m'engageant à regagner mon lit.

Sous le coup d'une émotion difficile à décrire je n'entendais plus l'orage qui grondait encore sourdement. J'étais *partie* sans oser jeter les yeux sur ma maîtresse. Un désordre complet régnait dans mes idées. Mon imagination était troublée sans cesse par le souvenir des *sensations* éveillées en moi, et j'en arrivai à me les reprocher comme un crime... Cela se comprendra, j'étais à cette époque dans la plus grande ignorance des choses de la vie. Je ne soupçonnais rien des passions qui agitent les hommes.

Le milieu dans lequel j'avais vécu, la façon dont j'avais été *élevée* m'avaient *préservée* jusque-là d'une connaissance qui, sans nul doute, m'eût *poussée* aux plus grands scandales, à des malheurs déplorables. Ce qui s'était passé ne fut pas pour moi une révélation, mais un tourment de plus dans ma vie.

Il m'arriva souvent d'hésiter à m'approcher de la table sainte, après des nuits troublées par d'*étranges hallucinations*. Pouvait-il en être autrement ? À partir de ce moment, ma réserve naturelle s'augmenta de beaucoup vis-à-vis de mes compagnes. Un fait que je puis citer ici sans compromettre personne en donnera une idée.

Pendant l'été, les élèves qui aimaient les bains de mer allaient, sous la conduite d'une religieuse, se livrer à cet exercice salutaire. Je refusai constamment d'y aller.

On nous promettait depuis longtemps une excursion à T..., partie de l'île la plus intéressante, au point de vue de sa situation. Ce jour arriva enfin. Il s'agissait de faire à pied 5 kilomètres au moins, et autant pour revenir. La classe normale seulement devait faire ce voyage, les autres pensionnaires étant trop jeunes. Comme il y avait à T... une maison religieuse du même ordre, nous devions y coucher, ce qui ajoutait encore au charme de la promenade.

Nous étions en août. Pour éviter la trop grande chaleur, nous nous mîmes en route dès cinq heures du matin. La supérieure et deux religieuses nous accompagnaient. Nous avions à traverser un pays de marais, où la végétation n'est rien moins qu'abondante. Partout du sable, ce qui donne à ce pays l'aspect des déserts mornes de l'Afrique.

Certes, personne ne songeait à la fatigue ; mais en approchant des dunes, on ne trouve plus la terre ferme ; impossible d'avancer sur ce terrain mouvant.

À chaque pas le pied enfonce au-dessus de la cheville. Force nous fut de marcher pieds nus. Une gaieté folle animait mes compagnes. Elle se communique, on le sait, aussi ne cherchais-je pas à m'y soustraire.

Ces rires francs et joyeux me faisaient du bien, et pourtant j'en étais *jalouse* malgré moi.

De temps à autre mon front s'inclinait sous le poids d'une tristesse que je ne pouvais vaincre. Une préoccupation constante s'était emparée de mon esprit. J'étais *dévorée* du terrible mal de l'*inconnu*.

La plus aimable hospitalité nous attendait à T... Les bonnes sœurs, prévenues de notre arrivée dans leur solitude, nous reçurent à bras ouverts.

Le village tout entier fut mis à contribution et nous fit l'accueil le plus sympathique.

Le lait frais, les œufs et les confitures composèrent un déjeuner auquel nous fîmes le plus grand honneur.

Après le déjeuner nous visitâmes le jardin.

Au premier et unique étage de la maison se trouvait la grande classe, transformée par nous en un vaste lit de camp. La literie se composait exclusivement de matelas et de couvertures. C'était plus que suffisant pour la saison avancée où nous nous trouvions. La chaleur était excessive. J'avais, comme la plupart de mes compagnes, essayé de réparer mes forces par un sommeil de quelques heures.

Je laisse à penser s'il fut bien profond, interrompu à chaque instant par les bâillements de l'une ou par les rires de l'autre. Je vois encore ce tableau.

Moitié vêtues et étendues côte à côte sur nos couchettes improvisées, nous présentions un aspect qui eût pu tenter un peintre. Je ne parle pas de moi (bien entendu).

Sous ce gracieux déshabillé, on distinguait çà et là des formes admirables qu'un mouvement impromptu venait de temps à autre mettre à découvert.

Quand je me reporte à ce passé déjà disparu, je crois avoir rêvé !!! Que de souvenirs de ce genre viennent peupler mon imagination !!!

Si j'écrivais un roman, je pourrais, en les interrogeant, fournir des pages les plus dramatiques, les plus saisissantes qu'aient jamais créées un A. Dumas, un Paul Féval !!! Ma plume ne peut se mesurer à celle de ces géants du drame. Et ensuite, on se souviendra que j'écris mon histoire, c'est-à-dire une série d'aventures auxquelles se trouvent mêlés des noms trop honorables pour que j'ose faire connaître le rôle involontaire qu'ils y ont joué.

Quelle destinée était la mienne, ô mon Dieu ! Et quels jugements porteront sur moi ceux qui me suivront pas à pas dans cette incroyable carrière, que pas un être vivant avant moi n'aura parcourue !

Quelque rigoureux que soit l'arrêt auquel me condamnera l'avenir, je veux continuer ma pénible tâche.

Dans l'après-midi de ce jour, nous visitâmes les environs de T... Rien n'en peut donner une idée.

Le petit village est littéralement enfoui sous un océan de verdure perpétuelle, dont les racines profondes se multiplient depuis des siècles dans des montagnes de sable appelées *dunes*.

Une immense forêt de pins s'étend le long de la côte et forme une digue aux envahissements de la mer et protège le pays contre des invasions de sables qui, s'élevant à des hauteurs gigantesques, offrent le coup d'œil le plus imposant.

Armé d'une longue-vue, et placé sur un point culminant de la forêt appelé l'Observatoire, on les distingue aux rayons du soleil comme autant de colosses d'argent. Quatre kilomètres au moins nous séparaient de cette superbe plage appelée la Tête-Sauvage. C'était pour nous la terre promise. Nous devions nous y rendre le lendemain matin.

La nuit s'écoula trop lentement au gré de nos désirs.

La maison religieuse de T... ne pouvant nous contenir

toutes, une dizaine d'entre nous fut envoyée chez d'obli-geantes voisines enchantées de nous offrir l'abri. J'étais de ce nombre. Des lits, d'une propreté merveilleuse, furent mis à notre disposition. L'appartement où je me trouvais en avait trois. Nous étions neuf. Heureusement les lits étaient larges. Nous pouvions y dormir parfaite-ment à l'aise, quoique n'en occupant qu'un tiers.

Je ne dirai pas ce que fut cette nuit pour moi !!!

Le jour était venu, il fallait partir.

Après s'être habillé à la hâte, on mangea quelques bouchées dans le lait frais.

Des provisions avaient été préparées par les bonnes religieuses et furent chargées sur des ânes mis en réqui-sition pour notre grand voyage.

À l'entrée de la forêt, sur un monticule qui semble dominer le vaste Océan, se trouve une grande croix de pierre. Bien des générations de marins, sans doute, s'étaient agenouillées sur ses degrés moussus ! Plus d'une mère y avait versé des larmes au souvenir de son fils absent !

Ce fut là, à la face du ciel, que nous vînmes faire la prière du matin. Sœur Marie-des-Anges, avec ce ton pénétré, cette grande foi qui dominait en elle, récita les prières. J'étais *agenouillée* en face d'elle et je ne puis dire quelle émotion me saisit lorsque je considérai cet angélique visage tout empreint d'une suavité douce, qui réfléchissait la sérénité de cette âme virginale. Le bruit de la mer venait seul troubler le silence religieux.

C'était quelque chose de grand, de vraiment poétique !

Je pleurai pendant que mes compagnes répondaient aux paroles sacrées !

Mon excellente maîtresse avait été frappée de mon air d'abattement et s'informa de ma santé avec sollicitude, craignant surtout que je ne pusse pas faire le trajet sans me fatiguer énormément. Je la rassurai de mon mieux, voulant éviter toute remarque particulière, toute question à laquelle je ne pouvais répondre.

On partit. Comme la veille, il fallut, pour marcher avec quelque assurance, laisser bas et souliers, le sable devenant à chaque instant plus épais et par conséquent plus mouvant. Par moments on enfonçait jusqu'aux genoux et plus d'une chute grotesque vint faire oublier la fatigue de cette marche rétrograde.

La chaleur était déjà excessive. Nous doublions le pas afin de trouver plus vite le repos dont quelques-unes avaient un si grand besoin.

Nous approchions. Le sable nous brûlait les pieds. La soif se faisait sentir d'autant plus vive que nous avions maintenant sous les yeux la vue des flots argentés de l'Océan.

Le magnifique spectacle qui s'offrait à nos regards ne peut être décrit ; il faudrait pour cela une plume plus savante que la mienne.

Il était tard. Après s'être reposé un peu sur le sable, on songea à satisfaire l'appétit que venait encore aiguillonner l'air vif de la mer.

Les provisions furent déposées sur la plage et chacune y fit honneur. On avait songé à tout, mais on avait oublié l'eau. Où en trouver dans ce désert de feu ? Je me dévouai au salut commun. Deux de mes amies m'accompagnèrent, et nous voilà à la recherche d'une source.

Plus d'une heure s'écoula avant que nous l'eussions trouvée. Cette vue nous rendit folles de joie.

J'écartai quelques plantes qui la dissimulaient et je me jetai à plat ventre pour apaiser l'horrible soif dont j'étais *dévorée*. Quand nous eûmes satisfait cet impérieux besoin, nous songeâmes à retourner. Notre retour était vivement attendu et fut salué de véritables cris de triomphe. Des mains impatientes nous arrachaient les précieux vases sans même songer à nous remercier.

Une élève s'était avancée sur la plage et se plongeait les jambes dans l'eau.

Ce fut une illumination soudaine !

Toutes se débarrassèrent instantanément de leurs premiers vêtements et, enroulant leurs jupons autour de leur taille, se précipitèrent jusqu'à mi-corps dans cette onde bienfaisante.

Nos maîtresses en firent autant de leur côté.

La mer montait rapidement. Les vagues indiscrètes arrivaient souvent à une *hauteur* qu'on eût voulu sauver de l'immersion ! C'était alors une hilarité folle ! Moi *seule* assistais à cette baignade en spectateur. Qui m'empêcha d'y prendre part ? Je n'aurais pas pu le dire alors. Un sentiment de pudeur, auquel j'obéissais presque malgré moi, me contraignait à m'abstenir, comme si j'eusse craint, en me mêlant à ce divertissement, de blesser les regards de celles qui m'appelaient leur amie, leur sœur !

Certes, elles étaient loin de soupçonner de quels sentiments tumultueux j'étais *agitée* en présence de ce laisser-aller, si naturel pourtant entre jeunes filles du même âge ! Les plus âgées parmi nous pouvaient avoir vingt-quatre ans. J'en avais dix-neuf et beaucoup d'autres n'atteignaient pas ce chiffre. Plusieurs étaient jolies sans être douées cependant d'une beauté remarquable.

Vers quatre heures, la petite caravane rentrait à T... Le dîner nous attendait. La fatigue était grande parmi nous et il nous restait à faire une longue étape avant d'avoir retrouvé notre joli cottage.

La route se fit assez rapidement, grâce au désir que nous avions de réparer nos forces par une bonne nuit de sommeil. J'en avais grand besoin pour ma part et, on le devine, les *émotions* qui me torturaient n'étaient pas de nature à augmenter mes forces.

Bien qu'on ne me l'avouât pas, je m'apercevais que mon état causait des inquiétudes. La science ne s'expliquait pas *certaine absence* et lui attribuait tout naturellement l'espèce de dépérissement qui me minait.

La science, d'ailleurs, n'a pas le don des miracles, encore moins celui de prophétie... J'étais, depuis quelque temps surtout, *soumise* à un régime tout particulier. La pauvre sœur chargée de la pharmacie y mettait une bonne volonté à toute épreuve, qui devait être couronnée du plus complet insuccès.

L'époque des vacances arriva ; c'était en même temps celle des examens. J'en faisais partie cette année-là. Il y avait deux ans que j'étais à D... C'est un moment redoutable pour de jeunes aspirantes que celui-là. Je le vis arriver avec une entière indifférence ; il s'agissait pourtant de mon avenir tout entier.

Nous partîmes pour B... ; la supérieure nous accompagnait. Elle nous conduisit chez M. l'inspecteur d'académie, qui nous fit un discours de morale tout à fait à la hauteur de la situation. L'examen avait lieu dans les salles de la préfecture. Le lendemain, à huit heures, elles étaient envahies et les épreuves écrites commencèrent.

À midi seulement on en connut le résultat.

Sur dix-huit aspirantes au brevet, j'étais reçue *première*. Je me maintins jusqu'à la fin à ce rang, et je dois dire à ma louange que personne n'en fut jaloux parce qu'on s'y attendait généralement.

Ma mère était dans le ravissement ; mais assurément personne n'en fut plus heureux que mon vénéré bienfaiteur, M. de Saint-M... Mon succès lui était aussi sensible que s'il fût arrivé à l'un de ses enfants.

Ce ne fut pas sans un serrement de cœur vraiment douloureux que je me séparai de mes intéressantes compagnes. En laissant la petite maison de D..., j'avais ressenti un affreux déchirement.

C'était comme un pressentiment vague, indéfini, de ce qui m'attendait dans l'avenir.

Ne laissais-je pas dans ces murs la paix, ce calme inaltérable que donne une conscience tranquille ?

N'allais-je pas avoir à lutter dans le monde contre des ennemis de tous genres ? Et de cette lutte comment devais-je sortir ?

Je repris à B... ma modeste chambre et mes anciennes fonctions près de M. de Saint-M..., en attendant qu'il plût à M. l'inspecteur de m'assigner un poste. J'étais avec lui dans les meilleurs termes.

Jamais sa bienveillance ne me fit défaut. C'était l'un de ces hommes rares, et vraiment digne de ses fonctions délicates, qu'il remplissait à l'honneur de l'instruction publique.

Quelques mois s'écoulèrent de la sorte, lorsque m'arriva de la préfecture l'invitation de me rendre dans les bureaux de l'Académie. « Mon enfant, me dit gaiement l'inspecteur, je crois que vous serez contente. J'ai à vous offrir un poste dans un pensionnat que je connais et où, je n'en doute pas, vous serez à merveille. Mme A... est une personne d'un rare talent, en même temps que d'une honorabilité incontestable. Si les conditions énoncées dans sa lettre vous paraissent acceptables, répondez-lui immédiatement. De mon côté, je vous annoncerai chez elle. »

Cette proposition me charma dès l'abord. J'avais consulté ma mère et M. de Saint-M..., qui m'approuvèrent fortement ; l'un et l'autre y voyaient toutes les garanties suffisantes de bonheur désirables.

J'écrivis à cette dame, qui me répondit qu'elle m'attendait les bras ouverts. J'avais dix-neuf ans et l'on doit savoir que, jusqu'à vingt et un ans, je ne pouvais exercer que comme institutrice adjointe. Ce sont les termes de la loi.

Les vacances touchant à leur fin, je pris la route de L..., chef-lieu de canton, situé à l'extrême limite de mon département. J'y arrivai à la nuit close.

La mère de Mme A... m'attendait à ma descente de voiture et m'embrassa avec une effusion qui témoignait de sa nature expansive et pleine de franchise.

Il est indispensable que je la fasse connaître.

Veuve depuis plusieurs années, Mme P... avait quatre filles, dont l'aînée était entrée en religion, au Sacré-Cœur ; la seconde, Mme A..., s'était vouée à l'enseignement et dirigeait, avec sa plus jeune sœur, Mlle Sara, le pensionnat de L...

Ma présence avait été nécessitée par le mariage de Mme A... Elle avait épousé depuis peu un ancien professeur qui, lui-même, était maître de pension dans la localité. Ne pouvant que rarement abandonner la maison de son mari, la jeune femme avait dû songer à se faire remplacer près de sa sœur Sara. Cette dernière, n'étant pas reçue, ne pouvait pas rester seule à la tête d'une institution quelconque. La maison comptait environ soixante-dix élèves, dont une trentaine pensionnaires.

Comme toujours, les détails intérieurs restaient confiés à Mme P..., qui s'en acquittait avec l'habileté d'une ménagère consommée. Nous devions, Sara et moi, ne nous occuper uniquement que des classes.

Habituée depuis longtemps à la direction de sa sœur qui lui laissait une autorité absolue, Mme P...[1] ne me voyait pas arriver sans une certaine appréhension. Aussi, malgré l'exemple de sa mère, son accueil fut-il un peu froid, embarrassé. Je sentais qu'elle m'étudiait attentivement. Tout, jusqu'à mes moindres gestes, lui était un sujet d'examen. À la fin du dîner, la confiance s'était tout à fait établie entre nous trois.

Ma pâleur maladive avait frappé. On me questionna amicalement sur ma santé, et Mme P..., entrant en des détails tout à fait intimes, me fit promettre de la regarder désormais comme une seconde mère. Son plus cher désir, disait-elle, était de me voir avec Sara dans les termes d'une affection fraternelle.

J'étais *très-fatiguée*, Sara me conduisit elle-même à ma chambre attenant à la sienne. Là, elle s'enhardit jusqu'à m'embrasser, ce qui acheva de lui concilier mon amitié.

Une fois *seule*, je me félicitai sincèrement du bonheur qui m'était échu. Tout me faisait présager que j'allais être *heureuse* dans cette excellente famille qui me traitait déjà comme l'un de ses membres.

Huit jours nous séparaient encore de l'ouverture des classes. Sara avait une autre sœur dont je n'ai pas parlé et que j'eus l'occasion de voir dès le lendemain. Mariée à un commerçant, elle habitait la même rue,

---

1. Au vu de ce paragraphe, on attendrait logiquement ici Mme A..., sœur de Sara et fille de Mme P... ; c'est pourtant Mme P... qu'on trouve déjà dans la version publiée par Tardieu, et reprise par Foucault. *(N.d.É.)*

aussi faisait-elle de fréquentes apparitions chez sa mère.

En la comparant à ma nouvelle amie, je remarquai que, physiquement parlant, elle lui était infiniment supérieure. Des cheveux d'un noir d'ébène encadraient son visage un peu pâle, mais légèrement rosé. Un front large surmonté de sourcils parfaitement arqués, au-dessous desquels brillaient des yeux admirables, d'une expression singulièrement belle ; une bouche mignonne, ornée de perles éblouissantes, en faisaient une personne, sinon accomplie, du moins réellement attrayante. Ajoutez à cela la taille la plus riche et un air où se lisaient la force, la santé, le bonheur d'une union encore dans toute sa fleur, et vous aurez une idée bien imparfaite de la puissance que devait exercer autour d'elle cette jeune femme dont la vue me causa une impression telle qu'elle ne s'effacera jamais.

La physionomie de Sara n'avait ni cette distinction ni cette grandeur. Rien de remarquable en elle n'attirait le regard. Quelque chose d'ironique flottait sans cesse sur ses lèvres et donnait à ses traits une certaine dureté que venait tempérer, par intervalles, la prodigieuse douceur de son regard où se lisait l'ingénuité de l'ange qui s'ignore. Sa taille était au-dessus de la moyenne et d'une force un peu trop accentuée peut-être pour certains observateurs. Avec un peu d'habileté, on aurait deviné une nature impétueuse, ardente, que la jalousie devait pousser aux plus grands excès.

Élevée par une mère qui poussait jusqu'à la plus austère rigidité ses principes religieux, Sara était véritablement pieuse, mais d'une piété éclairée, exempte de ce rigorisme outré qu'elle ne pouvait s'empêcher de déplorer chez les autres.

Elle avait dix-huit ans alors. Pas l'ombre d'une pensée mauvaise n'était venue troubler la sérénité de son âme candide. De ce jour commença notre liaison, qui ne tarda pas à devenir une affection réelle.

Naturellement bonne, Sara m'entourait de mille prévenances délicates qui dénotent un cœur généreux. Je fus sa confidente et sa première *amie*.

Nous allâmes ensemble voir Mme A... C'était, en effet, une femme d'un grand mérite.

À en juger par son apparence, elle devait souffrir beaucoup. Bien qu'à peine âgée de trente ans, elle en paraissait quarante. Sa taille se voûtait légèrement comme si un mal continu la menaçait intérieurement. Ses joues creuses avaient par moments une pâleur cadavérique qui contrastait singulièrement avec le calme résigné répandu sur ses traits fatigués. Sa douceur ne se démentait jamais en aucune circonstance. En tout temps, son humeur était la même. Elle possédait au suprême degré cet air de dignité grave alliée à l'affabilité charmante qui l'avaient rendue l'idole de ses élèves.

Mme P... avait pour elle une prédilection marquée. Cette fille était l'image vivante de son père, et elle l'avait aimé avec passion. Sous le double rapport de l'intelligence et du savoir, Mme A... l'emportait sur ses sœurs. On comprend donc que sa mère dût être fière d'elle, aussi ne prenait-elle aucune détermination sérieuse sans la consulter.

S'en rapportant pleinement à moi, Mme A... ne me traça aucun plan de conduite pour la direction à donner aux études. J'avais, à cet égard-là, une entière liberté d'action.

Jusque-là, tout ce que j'avais vu à L... m'était franchement sympathique. Je dus faire une exception en faveur du curé. Ma position à Jonzac m'obligeait à aller le saluer avant mon entrée en fonctions.

J'y allai avec Mme P... Pendant cette entrevue de quelques minutes, je devinai en cet homme un ennemi dangereux pour l'avenir. Je ne me trompais pas. C'était un petit vieillard d'assez chétive apparence, maigre, osseux, aux yeux profondément enfoncés dans leur orbite, laissant jaillir un feu sombre qui inspirait la terreur, la répulsion. Sa parole brève, aiguë et en quelque sorte railleuse, n'était pas faite pour inspirer la conviction. Son sourire était faux, malveillant. Chose étrange, la partie féminine de l'endroit lui avait voué une espèce de culte dû sans doute au terrible ascendant qu'il avait su exercer sur ces natures timides courbées sous le joug de sa morale impitoyable, désespérante, diamétralement opposée à celle du Maître divin.

En revanche, il était cordialement détesté de toute la partie masculine, et il le savait bien.

Heureusement, de tels prêtres sont rares, et vraiment on ne saurait trop s'en féliciter pour la gloire de la religion chrétienne, religion toute d'amour et de pardon.

De retour à la maison, je fis part de mon impression à Sara, ce qui ne l'étonna pas trop.

« Camille, me dit mon amie, n'en parlez pas ainsi devant maman, vous lui déplairiez souverainement. À ses yeux, l'abbé H... est un saint. Depuis longtemps mes sœurs ont abandonné sa direction, à la grande satisfaction de leurs maris. Elles ont pour guide spirituel le curé d'une petite commune voisine de la nôtre. Si je n'avais pas à craindre les reproches de ma mère, je n'hésiterais pas à en faire autant. Mais sur ce chapitre elle est intraitable. »

Les jours suivants, je visitai les environs. Mme P... y avait une propriété assez étendue, dans le meilleur état possible. Travailleuse infatigable, elle surveillait tout par elle-même sans le secours de ses gendres.

Rarement le jour la surprenait au lit.

Le jardinage, les soins de sa nombreuse basse-cour et de son bétail, tout cela l'absorbait. Elle ne se fût pas toujours reposée sur sa servante des soins de certaines choses extrêmement pénibles. C'était là sa vie. Sans fatigues, elle n'eût pas vécu.

Avait-elle besoin de quelques légumes ? Si le temps était beau, elle nous appelait, Sara et moi. « Allons, mes enfants, allez faire un tour au Guéret, vous me rapporterez tel objet. » Et nous partions gaiement bras dessus, bras dessous. Le Guéret était un immense jardin lui appartenant, éloigné d'un quart d'heure au plus de la maison, à l'entrée duquel se trouvait une gentille tonnelle. C'était notre promenade favorite. Que d'heures délicieuses nous y passions !

Cette vie de la campagne avait pour moi un charme incomparable ! Je me sentais revivre au milieu de cette végétation luxuriante, à cet air pur et vivifiant que je respirais à pleins poumons.

Heureux temps à jamais disparu !

Nous sommes au 1er novembre 185..., époque fixée pour la rentrée annuelle du pensionnat.

Le lendemain de ce jour, je conduisis avec Sara toutes nos élèves à la messe du Saint-Esprit.

L'église de L... possédait une tribune, dont une partie, celle du milieu, était réservée aux hommes ; l'autre, celle de droite, nous appartenait.

Elle en était séparée par une construction en planches assez élevée pour interdire toute communication.

Mes fonctions commençaient. J'étais *chargée* spécialement des élèves les plus avancées. Sara s'occupait des plus jeunes. Mme A... m'aidait un peu dans mes occupations. Elle venait régulièrement tous les jours au pensionnat, une heure le matin, une heure le soir. En réalité, j'étais à la tête de l'établissement, du moins en ce qui concerne la partie scolastique, car, pour le reste, je ne m'en occupais guère. Sara et sa mère recevaient les parents et réglaient avec eux toute espèce de condition. C'était une corvée à laquelle j'étais *heureuse* de me soustraire.

Nos pensionnaires occupaient deux dortoirs contigus : là, encore, j'avais la surveillance des grandes élèves, âgées quelques-unes de quatorze à quinze ans.

Mon lit n'était séparé de celui de Sara que par une légère cloison. À nos pieds se trouvait la porte de communication qui ne se fermait jamais.

La même veilleuse éclairait donc les deux dortoirs.

Une fois la prière faite et les élèves couchées, nous causions souvent de longues heures, mon amie et moi. J'allais la trouver à son lit, et mon bonheur était de lui rendre ces petits soins que donne une mère à son enfant. Peu à peu je pris l'habitude de la déshabiller. Ôtait-elle une épingle sans moi, j'en étais presque *jalouse !* Ces détails paraîtront futiles sans doute, mais ils sont nécessaires.

Après l'avoir étendue sur sa couche, je m'agenouillais près d'elle, mon front effleurant le sien. Ses yeux se fermaient bientôt sous mes baisers. Elle dormait. Je la regardais avec amour, ne pouvant me résoudre à m'arracher de là. Je la réveillais. « Camille, me disait-elle alors, je vous en prie, allez dormir, vous auriez froid et il est tard. »

*Vaincue* enfin par ses prières, je partais doucement, mais non sans l'avoir plus d'une fois serrée contre ma poitrine. Ce que j'éprouvais pour Sara, ce n'était pas de l'amitié, c'était une véritable passion !

Je ne l'aimais pas, je l'adorais !

Ces scènes se renouvelaient tous les jours.

Souvent je me réveillais au milieu de la nuit. Alors je me glissais furtivement près de mon amie, me promettant bien de ne pas troubler son sommeil d'ange, mais pouvais-je contempler ce doux visage sans en approcher mes lèvres ?..

Il en résultait que, après une nuit agitée, j'avais peine à me trouver éveillée, lorsque sonnait le réveil. Toujours prête la première, Sara venait à mon lit me donner le baiser d'adieu !

Elle pressait les retardataires, faisait la prière et s'occupait ensuite à la coiffure des élèves. Je l'aidais dans ce travail, mais, hélas ! je n'avais pas son adresse, ses soins délicats, aussi les enfants évitaient-elles soigneusement, autant que cela leur était possible, de se trouver près de moi.

Cette besogne achevée, chacune achevait sa toilette. Pendant ce temps, j'allais avec Sara dire bonjour à Mme P... L'excellente femme voyait avec la plus grande joie l'intimité qui régnait entre sa fille et moi, et nous en récompensait par mille attentions. Tout ce qui pouvait flatter nos goûts, elle nous le réservait comme surprise.

Tantôt, c'était un fruit, le premier cueilli dans son jardin, tantôt c'était une friandise comme elle excellait à les faire !

Un peu avant huit heures, Sara montait au dortoir pour échanger son peignoir contre d'autres vêtements. Je ne souffrais pas qu'elle le fît sans moi. Nous étions seules alors. Je la laçais, je lissais avec un bonheur indicible les boucles gracieuses de ses cheveux naturellement ondés, appuyant mes lèvres, tantôt sur son cou, tantôt sur sa belle poitrine nue !

Pauvre et chère enfant ! Que de fois je fis monter à son front la rougeur de l'étonnement et de la honte ! Tandis que sa main écartait la mienne, son œil clair et limpide s'attachait sur moi comme pour pénétrer la cause d'une conduite qui lui paraissait le comble de l'égarement, et cela devait être.

Par moments, elle restait frappée de stupeur.

Il était difficile, en effet, qu'il en fût autrement.

Il y avait quelque temps déjà que j'étais à L... Par une splendide journée d'hiver, nous avions projeté de visiter un petit hameau distant à peu près de deux kilomètres. Voulant utiliser dans ce but une journée de congé, nous partîmes après déjeuner. Sara me donnait le bras. Devant nous, les élèves s'en donnaient à cœur joie. Nous étions arrivées à un petit bois de chênes au bord duquel une source abondante, grossie encore par des pluies récentes, coulait sur un lit de cailloux.

Ma jeune amie s'était assise sur un tertre élevé d'où elle pouvait facilement surveiller tout l'agile troupeau. *Placée* à ses côtés, un livre à la main, mon regard errait au hasard sur les lignes déjà parcourues, pour se porter ensuite sur ma compagne. Depuis le matin, elle me gardait un peu rancune. Malgré tous ses efforts, je venais de lui arracher un sourire que je lui rendis en l'accablant de baisers. Dans le mouvement que je fis, sa coiffure se dérangea, ses cheveux, en se déroulant, vinrent m'inonder les épaules et une partie du visage. J'y appliquai mes lèvres brûlantes !

J'étais violemment *émue* ! Sara s'en aperçut. « De

grâce, Camille, me dit-elle, qu'avez-vous ? N'avez-vous donc plus confiance en votre amie ? N'êtes-vous pas ce que j'aime le plus au monde ? » — « Sara, lui criai-je, du fond de l'âme je t'aime comme je n'ai jamais aimé. Mais je ne sais ce qui se passe en moi. Je sens que cette affection ne peut pas me suffire désormais ! Il me faudrait toute ta vie !!! J'envie parfois le sort de celui qui sera ton époux. »

Frappée de l'étrangeté de mes paroles, Sara eut peur, son extrême pâleur le disait assez.

Mais, ne pouvant les attribuer qu'à un sentiment de jalousie exagérée, qui témoignait de mon attachement, elle ne chercha pas à leur donner un sens impossible. Elle me fit remarquer, d'ailleurs, que je pouvais éveiller l'attention de nos élèves, ce que je compris aussitôt. Son serrement de main me fit entendre que j'étais *pardonnée*. Néanmoins le calme de cette existence, jusque-là si pure, venait de recevoir un choc terrible !

Le retour à la maison se fit silencieusement.

J'étais triste, *embarrassée*... Un sourire consolant de mon amie venait parfois me faire oublier les déchirements affreux de mon âme !...

D'horribles souffrances physiques étaient venues, depuis, se joindre à mes maux intérieurs. Ces souffrances étaient telles que plus d'une fois je m'étais crue *arrivée* au terme de mon existence.

C'étaient des douleurs sans nom, intolérables, qui, je l'ai su depuis, constituaient un danger imminent. J'y échappai par un miracle inouï ! J'en avais fait l'aveu à Sara, qui m'engageait impérieusement à avoir recours au médecin, me menaçant d'en avertir sa mère, ce que je refusai obstinément.

Ces souffrances se manifestaient surtout la nuit et

m'ôtaient jusqu'à la possibilité de pousser le moindre cri. Qu'on juge de ma frayeur ! Je pouvais mourir ainsi, sans avoir articulé une plainte !!

*Heureuse* de ce prétexte, qui n'était que trop vrai, je priai un soir mon amie de partager mon lit. Elle accepta avec plaisir. Dire le bonheur que je ressentis de sa présence à mes côtés, serait chose impossible ! J'étais *folle* de joie ! Nous causâmes longuement avant de nous endormir, moi, les deux bras passés autour de sa taille, elle, reposant, le visage près du mien ! Mon Dieu ! Ai-je été coupable ? et dois-je donc ici m'accuser d'un crime ? Non, non !... Cette faute ne fut pas la mienne, mais celle d'une fatalité sans exemple, à laquelle je ne pouvais résister !!! Sara *m'appartenait* désormais !!... *Elle était à moi !!!*... Ce qui, dans l'ordre naturel des choses, devait nous séparer dans le monde, nous avait unis !!! Qu'on se fasse, s'il est possible, une idée de notre situation à tous deux !

Destinés à vivre dans la perpétuelle intimité de deux sœurs, il nous fallait maintenant dérober à tous le secret foudroyant qui nous *liait* l'un à l'autre !!! C'est là une existence qui ne saurait être comprise ! Le bonheur que nous allions goûter ne pouvait-il pas, par quelque circonstance imprévue, éclater au grand jour, et nous marquer au front de la réprobation publique ! Pauvre Sara ! Quelles terribles angoisses je lui ai causées !

Le lendemain de cette nuit la trouva anéantie !!! Ses yeux, rougis par les larmes, portaient l'empreinte d'une insomnie cruellement tourmentée.

N'osant braver ainsi le regard clairvoyant d'une mère, elle ne vit la sienne qu'au déjeuner. Assurément, j'étais moins troublé, mais je n'avais pas la force de lever les yeux sur madame P..., pauvre femme qui ne voyait en moi que l'*amie* de sa fille, tandis que j'étais son amant !...

Une année s'écoula de la sorte !...

Certes, je le voyais bien, l'avenir était sombre ! Il me faudrait, tôt ou tard, rompre avec un genre de vie qui n'était plus le mien. Mais, hélas ! comment sortir de cet affreux dédale ? Où trouver la force de déclarer au monde que j'usurpais une place, un titre que m'interdisaient les lois divines et humaines ? Il y avait de quoi troubler un cerveau plus solide que le mien. À partir de ce moment, je ne laissai Sara ni le jour ni la nuit !... Nous avions fait le doux rêve d'être à jamais l'un à l'autre, à la face du ciel, c'est-à-dire par le mariage.

Mais qu'il y avait loin du projet à l'exécution !

Toutes sortes de plans, plus bizarres les uns que les autres, avaient pris naissance dans notre imagination en délire. Plus d'une fois la fuite s'était présentée à moi, comme l'unique moyen d'arriver à un résultat. Sara l'acceptait, puis le repoussait bien vite avec effroi. Mes lettres à ma mère se ressentaient visiblement de ma préoccupation constante. Sans lui faire d'aveux, je la préparais doucement à une catastrophe inévitable. C'étaient pour elle autant d'énigmes insolubles. Elle en arriva à me croire fou, me suppliant de mettre fin à ses cruelles incertitudes. J'essayais alors de la calmer, et je la jetais en de nouvelles perplexités. L'ignorance où elle était pouvait la pousser à demander des éclaircissements à Madame P... C'était surtout ce que je redoutais. Tout eût été perdu.

On le comprend, mes relations avec Sara étaient pleines de dangers incessants vis-à-vis de nos élèves.

Bien qu'elles ne pussent être soupçonnées, il nous fallait rester dans les bornes d'une réserve difficile à garder, pour moi surtout !!!...

Souvent, au milieu des classes, un sourire de Sara venait m'électriser. J'aurais voulu la presser dans mes bras, et il fallait se contraindre !

Je ne passais pas à côté d'elle sans lui donner, soit un baiser, soit un serrement de main expressif.

Tous les soirs d'été, nous allions, avec les élèves, faire un tour dans les environs.

Mon *amie* me donnait le bras. On arrivait dans un champ. Assis sur l'herbe à ses genoux, je ne la perdais pas de vue, lui prodiguant les noms les plus tendres, les caresses les plus passionnées...

Certes, un témoin invisible qui eût pu assister à cette scène, eût été étrangement surpris de mes paroles, plus encore de mes gestes !

À quelques pas de là, nos élèves se livraient à leurs joyeux ébats. Placés de façon à surveiller tous leurs mouvements, nous étions en même temps à l'abri de leurs regards ! On rentrait, toujours dans le même ordre. Il nous arrivait quelquefois de rencontrer sur notre route soit M. le maire, soit le docteur, ami intime de la maison, qui, ayant vu naître Sara, lui portait un véritable attachement. C'étaient alors des saluts pleins de grâce à notre adresse, et qui nous réjouissaient fort. Je le laisse à penser !!!

D'après la singularité de ma position à L... on peut se faire une idée de mes rapports avec le curé. Cette position était terrible !!

J'occupais dans une famille, la plus honorable de la localité, un poste de confiance excessivement délicat. J'avais une autorité entière, absolue ; de plus, une affection sincère, dont je recevais tous les jours de nouvelles preuves, m'avait été vouée par tous les membres de cette famille ! Et je la trompais cependant. Cette douce jeune fille, devenue ma compagne, ma sœur, j'en avais fait ma *maîtresse !!!*...

Eh bien ! J'en appelle ici au jugement de la postérité qui me lira. J'en appelle à ce sentiment placé dans le cœur de tout fils d'Adam. Ai-je été coupable, criminel, parce qu'une erreur grossière m'avait assigné dans le monde une place qui n'aurait pas dû être la mienne ?

J'aimais d'un amour ardent, sincère, une enfant qui m'aimait avec toute la fougue dont elle était capable ! Mais, me dira-t-on, s'il y avait eu méprise, vous deviez la révéler, et non pas en abuser ainsi. J'engage ceux qui pensent de la sorte à vouloir bien réfléchir à la difficulté de la situation.

Un aveu, quelque prompt qu'il fût, ne pouvait me sauver d'un éclat dont les suites étaient nécessairement fatales à tout ce qui m'entourait. Si, pour un temps plus ou moins long, je pouvais sauver les apparences, je ne pouvais les cacher à celui qui tient ici-bas la place de Dieu, au confesseur ; et lui devait entendre de pareilles énormités sans pouvoir rompre le silence rigoureux que lui impose son caractère sacré. J'avais justement affaire à l'homme le plus intolérant qui fût au monde ! La pensée seule d'affronter ses colères me glaçait d'épouvante. Qu'on juge de sa violence sarcastique à l'aveu que je lui fis de mes faiblesses !!!

Ce ne fut pas de la pitié que je lui inspirai, ce fut de l'horreur, une horreur vindicative.

Au lieu de paroles de paix, le mépris, les injures me furent prodigués ! Il n'y avait rien chez cet homme que sécheresse de cœur ! Le pardon ne descendant qu'à regret de ces lèvres, faites pour répandre à flots les bienfaits inépuisables de la charité chrétienne, cette charité si grande qui prend sa source dans l'âme de celui qui nous montre l'Évangile, relevant de la poussière la femme pécheresse et repentante !

J'étais arrivé là profondément humilié : j'en sortis le cœur ulcéré, bien résolu de rompre désormais avec un semblable guide, dont la morale inqualifiable était au plus bonne à éloigner du bien une nature faible ou ignorante !

Ce que j'ai dit là est malheureusement trop vrai. Mais je suis à même de l'affirmer, à la gloire du clergé catholique, c'est peut-être une exception unique parmi ses membres.

La situation fausse, exceptionnelle, dans laquelle je me trouvais me faisait d'autant plus sentir cette rigidité féroce, que j'avais le plus besoin d'indulgence.

En effet, au grand étonnement de madame P..., j'abandonnai subitement l'abbé H... ; sa surprise devint du mécontentement, quand elle vit Sara en faire autant de son côté. Cependant, à cause de moi, elle en prit son parti plus facilement.

Dans le monde on avait admiré d'abord, et critiqué ensuite l'intimité établie entre Sara et moi, comme étant un peu exagérée, pour ne pas dire suspecte. Assurément on était à cent lieues de la vérité.

Faute de la connaître, on faisait des commentaires de toutes sortes, et enfin quelques charitables commères, comme il s'en trouve toujours, crurent devoir en prévenir madame P... au nom de la morale outragée par notre conduite journalière en face de nos élèves. Moi surtout, j'étais gravement *inculpée*. On me faisait un crime d'embrasser trop souvent mademoiselle Sara.

Nous remarquâmes, en effet, que nous étions l'objet d'un sérieux examen de la part des enfants, parmi lesquelles il s'en trouvait d'assez âgées.

Me voyaient-elles me pencher sur mon amie et la presser dans mes bras, elles détournaient la tête avec embarras, comme si elles eussent craint de nous voir rougir. Les pensionnaires, surtout, qui assistaient à notre lever, à notre coucher, manifestèrent plus d'une fois leur étonnement de certains petits détails dont elles étaient frappées sans doute. Elles en causèrent évidemment. De là venaient les bruits répandus dans le public. Madame P…, qui craignait par-dessus tout pour sa maison, en fut sérieusement affectée.

N'osant pas m'en parler, elle appela sa fille. Sara, lui dit-elle, j'ai à te prier d'être à l'avenir plus réservée dans tes rapports avec mademoiselle Camille. Vous vous aimez beaucoup, j'en suis, pour ma part, très-heureuse ; mais il est des convenances que, même entre *jeunes filles*, on est tenu d'observer. Ce commencement d'attaque nous fit trembler pour l'avenir. Que serait-ce donc quand la vérité serait connue !!!

Nous n'en continuâmes pas moins à partager le même lit !!! Cela n'était pas entré dans les recommandations de madame P… qui l'ignorait. Et d'ailleurs elle n'en était pas à nous soupçonner. L'excellente femme était trop sincèrement vertueuse, et sa confiance en nous était trop aveugle pour arrêter sa pensée à de pareilles idées. Plus clairvoyantes qu'elle, ses deux filles aînées, mariées toutes deux, n'étaient pas, je crois, aussi indulgentes à notre égard. Jamais pourtant un mot de leur part ne vint m'accuser ; leurs rapports avec moi étaient toujours d'une affectueuse politesse. Mais néanmoins je crus voir que leur curiosité était en éveil.

De temps à autre avaient lieu chez madame P… des réunions de famille, auxquelles j'étais invariablement *invitée*. Mes enfants, nous disait madame P…, les pensionnaires dîneront ce soir un peu plus tôt, quant à vous, vous mangerez en haut.

Si j'avais refusé, Sara en eût fait autant : on le savait bien. Ces réunions se composaient exclusivement des sœurs de mon amie, de leurs maris. Ces derniers aimaient beaucoup Sara, tandis qu'au contraire ils semblaient mal à l'aise avec moi. Comment expliquer cela ?... Ce malaise était à peine perceptible ; il fallait être *moi* pour le deviner ! C'étaient toujours de leur part des politesses sans fin, des allusions perpétuelles au mariage de leur jeune belle-sœur. Celle-ci acceptait tout avec une gaieté apparente dont moi *seule* avais le secret !...

Toujours placée à mes côtés, elle me lançait alors, à la dérobée, un regard, indifférent pour tout le monde, excepté pour moi !!! Je trouvais toujours moyen d'y répondre ! En somme, cette contrainte nous pesait horriblement et nous gâtait notre bonheur !

Le rôle que m'imposait la nécessité me causait parfois comme des remords. Je les faisais taire pour soutenir ma pauvre Sara, écrasée sous le poids de la honte ! Chère et candide enfant ! Sa conduite a-t-elle besoin d'excuse !... Pouvait-elle refuser à l'amant cette tendresse de sentiments, vouée à l'*amie*, à la *sœur*, et si ce naïf amour devint de la passion, qui donc faut-il accuser, sinon la fatalité !

Dans nos délicieux tête-à-tête, elle se plaisait à me donner la qualification masculine que devait, plus tard, m'accorder l'état civil. Mon cher Camille, je vous aime tant !!! Pourquoi vous ai-je connu, si cet amour doit faire le malheur de toute ma vie !!!

L'année scolaire touchait à sa fin.

Avec les vacances devait sonner l'heure de la séparation ! Deux mois loin de Sara, c'était bien long !!! Aussi était-il convenu que je serais de retour à L... quinze jours avant l'ouverture des classes. Madame P... elle-même m'en fit faire la promesse. Pauvre mère !!!...

Elle aussi regrettait mon départ ! J'étais sa seconde fille ! « Voyons, mademoiselle Camille, me dit-elle un jour, Sara va être bien seule sans vous ! Passez ces vacances avec nous. À ce moment de l'année le séjour de la campagne a tant de charmes ! Les vendanges vont venir ; ce sera pour vous deux une distraction de plus. » Mon refus ne la blessa pas, car elle comprit bien que je me devais d'abord à ma mère. Elle ne savait pas jusqu'à quel point ses offres étaient séduisantes et quel sacrifice je m'imposais en les rejetant !!!

Le 20 août, eut lieu la distribution des prix. Le lendemain, il ne restait plus une pensionnaire. Nous laissâmes donc le dortoir pour prendre possession de la petite chambre réservée à Sara, dans le corps de bâtiment qu'occupait sa mère ; madame P... habitait le rez-de-chaussée.

C'était une grande fête pour nous que de pouvoir jouir en toute liberté des derniers instants de bonheur qui allaient précéder notre séparation.

Ils passèrent, hélas ! bien rapidement...

Quoique modeste, notre petite cellule était à nos yeux un palais que nous n'eussions pas échangé contre tous les trésors du monde ! La cloche du réveil n'était plus là pour troubler le doux rêve de la nuit !!! Nous nous levions tard !

Sara dormait le matin, la tête appuyée sur l'un de mes bras ! ses beaux cheveux ondulaient gracieusement sur ses épaules découvertes ! Je la regardais ainsi, retenant mon souffle, abîmé dans une contemplation pleine de félicités !!!

Mon Dieu ! vous m'aviez donné une somme immense de bonheur ! Dois-je me plaindre si, au milieu de la nuit profonde qui m'environne, les éclairs de ce lumineux passé viennent seuls apporter quelque soulagement à ma longue infortune ! Le vingt-sept arriva. Ce jour était fixé pour mon départ. Nous nous levâmes de bonne heure. Madame P... était venue nous réveiller.

Je trouvai, en descendant, un petit déjeuner apprêté par elle, auquel je ne pus toucher.

Sara allait et venait, essuyant à la hâte une larme furtive, tout en m'encourageant par un pâle sourire. Sa mère avait fait malgré moi, pour mon voyage, des provisions suffisantes pour toute une famille.

Je la laissai faire !

J'éprouvais un affreux serrement de cœur en face de ces murs hospitaliers dont j'allais me séparer pour la première fois !

Il fallait abréger cette scène qui me brisait. Je m'approchai de madame P... « Allons, ma chère *fille*, me dit l'excellente femme, pensez à nous et revenez bien vite. » Je ne pus que l'embrasser sans répondre.

J'avais à faire une assez longue course à travers champs pour gagner la grande route, où je devais prendre la voiture au passage. Sara m'accompagnait ; notre douleur débordait.

Je pressais avec force contre ma poitrine l'un de ses bras passé sous le mien !!! Pour la vingtième fois au moins nous nous fîmes la promesse de nous écrire régulièrement toutes les semaines.

La voiture était arrivée : je partis, laissant loin derrière moi la petite éminence qui me dérobait la vue de mon *amie !!!* Il me semblait laisser, pour toujours, la terre natale !!! Le soir, j'étais à B... Pour la première fois, j'étais presque triste en revoyant cette maison où m'attendaient ma mère et mon noble bienfaiteur, deux cœurs qui m'aimaient tant ! Selon mon habitude, j'embrassai M. de Saint-M..., qui fut frappé du changement opéré dans ma physionomie. Un mieux sensible se lisait dans tout mon être. Je l'avais constaté avant lui, et seul j'en connaissais les causes...

Les distractions ne me manquaient pas à B...

J'avais à voir une foule de personnes.

Tout cela me semblait maintenant insipide.

J'étais *poursuivie* par une idée constante.

Un nouvel horizon m'apparaissait dans un avenir qui ne pouvait plus être éloigné !!!

Avant de laisser L..., j'avais reçu une lettre de la sœur Marie-des-Anges. Mon ancienne maîtresse m'invitait à assister à D... à une retraite annuelle prêchée aux anciennes élèves de l'école normale. Je me promis bien de n'y pas manquer. J'avais un sérieux motif pour cela. Quelles expressions pourraient rendre un compte fidèle de mes impressions, lorsque je franchis le seuil de ce sanctuaire béni, où j'avais vécu de longs jours ! J'y rentrais après dix-huit mois d'absence à peine ! Mais que d'événements passés dans ce court espace !... Que de choses semblaient me défendre l'entrée de cette maison qu'habitaient l'innocence et la chasteté !

Le premier visage que j'aperçus fut celui de ma bonne maîtresse. Le sien n'avait pas subi d'altération. C'étaient bien toujours la même sérénité, la même expression de grandeur chaste et résignée. On avait prononcé mon nom. Elle accourait avec ce divin sourire qui témoignait de sa joie. Ses deux mains se tendirent spontanément vers moi. Je les approchai de mes lèvres !!!

La noble femme me remercia en termes simples et affectueux d'avoir répondu à son appel.

Plus de quarante institutrices, toutes ses élèves, étaient accourues de divers points pour retremper leurs forces par quelques jours de solitude pieuse. Les vacances étant données, la maison tout entière était à notre disposition. Beaucoup parmi elles m'étaient inconnues ; d'autres, au contraire, étaient de mon âge et avaient été mes compagnes d'étude.

Je les revis avec infiniment de joie.

Un religieux, missionnaire, prêchait la retraite, dont les exercices avaient lieu dans la chapelle du couvent, asile sacré que, sans doute, je revoyais pour la dernière fois !!!...

J'avais besoin de ce calme religieux, au milieu des agitations toujours croissantes de ma vie !

Au moment, peut-être, de mettre une barrière infranchissable entre le passé et l'avenir, j'avais besoin de me recueillir en face de Dieu !!!

Mon projet était de m'ouvrir, en toute franchise, à ce confesseur inconnu et d'attendre son arrêt ! On peut se figurer l'étonnement, la stupéfaction que lui causa mon étrange confession !!!...

J'avais fini ! Il gardait le silence le plus réfléchi. Mes chutes, mes misères, n'avaient excité en lui que la plus douce commisération.

J'avais, pour ainsi dire, mis ma destinée entre ses mains, en l'établissant mon juge ! « Mon enfant, me dit-il, la situation est des plus graves et exige de sérieuses réflexions, ce n'est pas dès maintenant que je puis tracer devant vous une ligne de conduite. Revenez demain, et dans deux jours je pourrai vous donner mon avis. »

Mon anxiété était grande. Je sentais mon existence

suspendue aux paroles annoncées ! Je ne dormais pas, ou je dormais mal. Le délai fixé était écoulé. Voici le conseil que me donna l'abbé : « Je ne vous dirai pas, me dit-il, ce que vous savez comme moi, c'est-à-dire que vous pouvez, dès à présent, prendre dans le monde le titre d'homme qui vous appartient. Assurément vous le pouvez, mais comment l'obtiendrez-vous ? Au prix des plus grands scandales, peut-être. Vous ne pouvez pas cependant garder votre position actuelle, si pleine de dangers. Le conseil que je vous donne est donc celui-ci : retirez-vous du monde, et entrez en religion ; mais gardez-vous bien de renouveler l'aveu que vous m'avez fait : un couvent de femmes ne vous admettrait pas. Ce moyen est le seul que je vous propose, et croyez-moi, acceptez-le. »

Je me retirai sans rien promettre, car je ne m'étais pas préparé à un pareil résultat.

On me proposait d'éviter un éclat pour me créer une situation plus dangereuse encore, devant aboutir à un scandale inévitable. D'un autre côté, je n'avais pas le moindre goût pour la vie monacale. Un sentiment trop fort me retenait ailleurs ; j'étais résolu à tout, plutôt que de le briser. Dans cet état de choses, je me décidai à attendre les événements.

Le lendemain de ce jour je laissais D… En me séparant de ma chère maîtresse, j'étais bien convaincu que je ne devais plus la revoir, du moins dans les mêmes conditions ! Tout était donc fini entre elle et moi ! Un abîme allait nous séparer ! Cette pensée m'attrista singulièrement.

Je vois encore son angélique regard fixé sur le mien, tandis que mes mains pressaient les siennes !!!

Mon Dieu ! si elle avait pu lire en mon âme !!

Je tendis mon front à ses lèvres si pures, et les miennes se collèrent sur sa joue !!! C'en était fait ! J'avais rompu pour toujours avec les doux liens de mon passé !!!

Arrivé à B..., j'évitai avec un soin extrême toute occasion d'entretien particulier, soit avec ma mère, soit avec M. de Saint-M..., dont la touchante sollicitude ne m'abandonnait pas.

Après son déjeuner je lui lisais le journal, je mettais en ordre ses papiers d'affaires.

On causait familièrement avec cet abandon qui naît de la confiance et de l'estime réciproques.

J'allais ensuite confier au papier mes pensées intimes de chaque jour, mes impressions, mes regrets ; tout cela était destiné à Sara qui, de son côté, m'envoyait régulièrement, une fois par semaine, une longue lettre que je dévorais dans le silence de mes nuits. Chacune de ces missives m'invitait à abréger le temps passé loin d'elle ! Nous étions au milieu d'octobre. J'avais promis à Madame P... d'arriver chez elle vers cette époque, et je tenais essentiellement à tenir ma promesse. Combien de temps encore devais-je habiter sa maison ? Je l'ignorais. Une explosion pouvait avoir lieu d'un moment à l'autre. J'y étais résigné à l'avance. Plus la crise approchait, plus je sentais grandir mes forces ! Mais Sara !

Le service des postes avait été modifié. Cette fois je n'arrivai à L... que vers le milieu de la nuit. On ne m'attendait plus à cette heure. Madame P... était au lit. Elle m'embrassa avec cordialité, et voulut se lever pour me préparer à manger, ce que je refusai formellement.

« Alors, me dit-elle, allez bien vite vous reposer. Sara est couchée, elle dort sans doute. Vous allez la surprendre agréablement. » Je ne me le fis pas répéter deux fois. Ma jeune amie avait reconnu ma voix.

Elle m'attendait les bras ouverts !!!

Nous ne dormîmes guère cette nuit-là !!!...

Le bonheur nous tint lieu de sommeil pendant de longues heures ! Nous avions tant de choses à nous dire !!! Il en résulta qu'à une heure fort avancée nous n'avions pas bougé !

Mme P... vint entr'ouvrir nos rideaux et nous gourmanda amicalement sur notre paresse.

Je voulus répondre sur le même ton ; mais j'étais réellement troublé. Après le départ de sa mère, Sara me fit une confidence dont je fus atterré ! — Les larmes la suffoquaient ! Si ses craintes étaient fondées, nous étions perdus l'un et l'autre ! Une véritable épée de Damoclès était suspendue sur nos têtes.

Sara craignait sa mère autant qu'elle la respectait. L'idée d'avoir à rougir devant elle lui était chose insupportable. Je me représentais parfois le courroux, la fureur, l'indignation de cette mère, apprenant la honte de sa fille ! Et cela en des circonstances impossibles à prévoir ! J'avoue que, tout en redoutant un pareil événement, je l'appelais de tous mes vœux. Cela arrivant, rien ne pouvait s'opposer à notre mariage avec Sara ! Mais que d'amers reproches j'aurais eu à endurer...

Rien de particulier ne vint marquer les premiers mois de cette seconde année. La monotonie de notre existence à L... n'était rompue que par les mystérieuses douleurs d'un amour caché à tous, échappant à toutes les prévisions humaines.

Je n'avais plus aucune espèce de rapports avec le curé. Cet homme m'était odieux !

Bien qu'il fît de fréquentes visites à madame P..., il s'abstenait de rentrer à la classe.

Je ne pouvais en douter ; ma présence seule l'en

empêchait. Il évitait jusqu'aux moindres occasions de m'adresser la parole.

Je m'en félicitais, car je n'aurais peut-être pas eu la force de modérer mon antipathie.

Je l'avais abandonné ; par suite, Sara m'avait imité. Sa méchanceté profonde m'était connue.

À un moment donné il pouvait devenir un terrible ennemi et se venger de mon mépris. Ce moment, il l'épiait ; je le comprenais.

Pour se dédommager de notre silence à son égard, il avait imaginé un espionnage, le plus douloureux de tous. La plupart de nos élèves se confessaient à lui. Non content de leur adresser une foule de questions personnelles, plus ou moins déplacées, vis-à-vis d'enfants si jeunes, il en arrivait adroitement à se faire rendre par elles un compte détaillé de toutes nos actions. Incapables d'échapper à cette inquisition, les pauvres enfants avouaient tout et nous en prévenaient ensuite. Je m'abstiens ici de qualifier un pareil acte !!!...

Un fait que je dois signaler ici vint attirer l'attention sur notre maison. Une rumeur sourde vint un matin mettre en émoi la population de L... On venait d'apprendre en même temps la grossesse et l'accouchement d'une enfant à peine âgée de quatorze ans, l'étonnement était à son comble. Cette enfant avait été notre élève. On ne lui connaissait aucune espèce de relations pouvant faire découvrir le nom de l'auteur.

La maison qu'elle habitait chez ses parents était presque contiguë à la nôtre ; nous la voyions donc souvent. À cette nouvelle, madame P... jeta les hauts cris. Elle était sur ce chapitre d'une susceptibilité farouche et parfois ridicule.

Les égarements de la passion ne trouvaient pas

d'excuse en cette âme desséchée par la morale étroite de l'abbé.

On le comprend, cet incident était de nature à me faire réfléchir sérieusement aux suites probables de ma liaison avec Sara. Ce qui ajouta à l'effet produit par cet événement, fut la conduite de la jeune fille. Elle refusa constamment de nommer le coupable ; son obstination ne put être vaincue. Le médecin qui l'assistait l'avait vue naître ; il insista vainement pour obtenir un aveu. Tout fut inutile !!!

Le père de son enfant, dit-elle au docteur, était un commis voyageur. L'indication était assez vague ; il fallut que la famille s'en contentât. Peu de temps après, elle laissa la localité avec son père et sa mère.

Un changement allait s'opérer dans la famille de mon amie. Sa sœur, madame A..., allait partir avec son mari, appelé à de nouvelles fonctions dans un département voisin. C'était un chagrin véritable pour sa mère dont elle était l'idole. C'était en même temps la cause d'un sérieux embarras, car, bien que je fusse en réalité à la tête du pensionnat, madame A... en avait toujours la responsabilité vis-à-vis de l'Académie.

Je n'étais pas encore *majeure* et je ne pouvais par conséquent, sans une autorisation spéciale, prendre la direction réelle de l'institution. Madame P... en causa longuement avec moi. Elle avait fait le rêve de me céder un jour son établissement. À cet égard je ne la contrariais point. Je voyais s'approcher le jour où tous ses plans tomberaient d'eux-mêmes !!!...

Pour le moment, néanmoins, je devais accepter ses propositions.

Il s'agissait pour moi de demander à M. l'inspecteur d'académie l'autorisation de succéder à madame A...

comme maîtresse de pension, jusqu'à l'époque peu éloignée où je pourrais légalement porter ce titre. Ainsi que
je l'ai dit, l'inspecteur était parfaitement disposé en ma
faveur : un refus de sa part n'était donc pas probable.
D'un autre côté, par M. de Saint-M... j'étais *sûre* de
l'appui du préfet. Je l'obtins en effet : ma demande fut
agréée, ce qui causa la plus grande joie à madame P...

Madame A... partit avec son mari vers le milieu de
l'hiver, nous laissant à tous des regrets.

À quelque temps de là les douleurs que j'avais déjà
éprouvées se firent ressentir plus fréquentes, plus
intenses. Sara s'en inquiétait, insistant toujours pour
que je visse un médecin. Pour rien au monde je n'y
aurais consenti ; la violence du mal fut telle qu'il fallut
s'y résigner.

Prévenue par sa fille, madame P... fit venir le docteur
T... Je n'ai pas oublié cette visite ; les moindres circonstances me sont encore présentes à l'esprit. Il était près
de six heures du soir. On n'avait pas encore allumé.
L'appartement où je me trouvais avec le docteur était
plongé dans une demi-obscurité dont je ne me plaignais
pas.

Les réponses que je fis à ses questions étaient pour lui
une énigme au lieu d'être un éclaircissement. Il voulut
me sonder. On le sait, vis-à-vis d'une malade un médecin jouit de certains privilèges que personne ne songe à
contester. Pendant cette opération je l'entendais pousser
des soupirs, comme s'il n'eût pas été satisfait de son
examen. Madame P... était là, attendant une parole.

J'attendais aussi, mais dans une disposition d'esprit
toute différente.

Debout près de mon lit, le docteur me considérait
avec une attention pleine d'intérêt. Des exclamations

sourdes lui échappaient dans le genre de celle-ci : « Mon Dieu ! serait-ce possible ! »

Je comprenais à ses gestes qu'il eût voulu prolonger un examen d'où jaillirait la lumière !!!...

Ma couverture était relevée. Mes vêtements en désordre laissaient voir la partie supérieure de mon corps ! La main du docteur s'y promenait indécise, tremblante, jusqu'à l'abdomen, siège de mon mal. À force de tâtonnements elle venait de s'y appuyer, sans doute, car je jetai un cri perçant, tout en la repoussant vigoureusement.

Il s'assit alors près de moi, insistant doucement pour que je reprisse du courage ; il en avait sans doute besoin lui-même. La décomposition de son visage trahissait une agitation extraordinaire. « Je vous en prie, lui dis-je, laissez-moi. Vous me tuez ! — Mademoiselle, je ne vous demande qu'une minute, et ce sera fini. » Déjà sa main se glissait sous mon drap et s'arrêtait à l'endroit sensible. Elle s'y appuya à plusieurs reprises, comme pour y trouver la solution d'un problème difficile. Elle ne s'arrêta pas là !!! Il avait trouvé l'explication qu'il cherchait ! Mais il était facile de voir qu'elle dépassait toutes ses prévisions !

Le pauvre homme était sous le coup d'une émotion terrible ! Des phrases entrecoupées s'échappaient de sa gorge, comme s'il eût craint de les laisser passer. J'aurais voulu le voir à cent pieds sous terre !!!

Madame P... n'y comprenait absolument rien. Par pitié pour moi elle voulut abréger cette scène fatigante, en entraînant le docteur.

« Adieu, mademoiselle, me dit celui-ci, avec un demi-sourire ; *nous nous reverrons !!!* »

Je me levai immédiatement pour aller rejoindre Sara,

occupée dans la salle d'étude. Son regard m'interrogea. Je la mis en peu de mots au courant de ce qui s'était passé.

Au dîner je remarquai que madame P... était plus sérieuse que de coutume. Elle ne savait pas dissimuler ses impressions ; sa préoccupation, son embarras étaient visibles. À la fin du repas j'allai me chauffer un moment dans la cuisine : « Mademoiselle Camille, me dit-elle, j'ai envoyé chercher les remèdes prescrits par le docteur. Mais il ne reviendra pas ; je m'y suis formellement opposée. »

Que signifiait une pareille injonction de sa part ? Savait-elle quelque chose, et craignait-elle d'en savoir davantage ? Voilà ce que je me demandai intérieurement, sans répondre en rien à ses paroles. Quand nous fûmes couchées, Sara m'apprit que le médecin avait eu une longue conférence avec sa mère. Mais c'était tout. C'en était assez pour m'inspirer des craintes que mon amie partageait avec moi !!! Dans cette circonstance, je l'ai su depuis, cet homme, sans s'expliquer ouvertement avec madame P..., lui avait adressé à mon sujet une foule de questions fort délicates, auxquelles celle-ci répondit à peine, ne pouvant croire à la pensée qui les motivait. Le soupçon ne pouvait entrer dans son âme ; il eût été terrible ; elle le repoussait énergiquement. En face d'une si aveugle obstination, le docteur ne crut pas devoir prendre l'initiative que lui commandaient son titre et sa foi d'honnête homme ; il se contenta de l'engager à m'éloigner de sa maison et au plus vite, croyant se dégager par là de toute responsabilité.

Je le répète, son devoir lui traçait une autre ligne de conduite. En pareille circonstance, l'indécision n'était pas permise ; elle était une faute grave, non-seulement vis-à-vis de la morale, mais aux yeux de la loi. Épouvanté du secret qu'il avait surpris, il préféra l'ensevelir à tout jamais !

Moins instruite que lui, madame P... était peut-être plus excusable, sans être pourtant à l'abri de tout reproche. La chose valait la peine d'être examinée. Assurément une autre n'eût pas apporté la même faiblesse. Loin d'en vouloir au docteur, elle aurait dû le remercier, et chercher le moyen de sortir de là. Elle ne le fit pas, pour plusieurs raisons, qui toutes étaient mauvaises.

D'abord elle craignait un éclat pouvant porter atteinte à l'honorabilité de sa maison et compromettre ses intérêts. Ensuite elle avait en moi une confiance sans bornes. Accepter les insinuations du docteur, c'était en même temps douter de sa fille, et son orgueil se révoltait à cette idée. Elle poussait la naïveté jusqu'à croire que j'étais dans une ignorance complète de ma position... C'était l'absurde poussé au dernier degré !!! Je n'ai jamais pu comprendre qu'une femme de son âge, de son expérience, pût conserver une semblable illusion ! L'affection que me témoignait Sara ne devait-elle pas lui ouvrir les yeux ? Non. Elle aurait craint de nous donner l'éveil, en nous montrant le plus léger soupçon ! Pauvre femme !!!

Cet incident, quelque grave qu'il fût, ne changea en rien notre train de vie ordinaire. Madame P... avait repris sa sérénité, nous notre gaieté. Dans une excursion au-dehors, il nous arriva souvent de rencontrer le docteur T... Je coudoyais Sara. Il passait, non sans me saluer avec un sourire ! Que devait-il penser en nous voyant rire, accouplés !!! Étrange situation !... Son silence, son attitude à mon égard me semblaient une énormité révoltante !

J'eus plusieurs fois l'idée de provoquer une explication de sa part, en lui mettant sous les yeux la fausseté d'une situation dont il me fallait sortir, à quelque prix que ce fût. Sara repoussait bien loin toute détermination de ce genre. C'était pour elle, non plus la réparation, mais la honte, la médisance attachée à toute sa vie ! Hélas ! Je le comprenais !

Le monde, après avoir flétri en quelque sorte une liaison innocente, en apparence, serait-il indulgent pour une intrigue amoureuse ? Non, sans doute ; il devait être impitoyable ! Il voudrait nous faire cruellement expier le bonheur silencieux de deux années ! Il avait été chèrement acheté ce bonheur !

Mes occupations n'avaient pas été interrompues. Un jour, en présence de Sara, madame P... me faisait des recommandations maternelles, relatives à ma santé. Sans être malade, j'étais réellement fatigué, affaibli. Mes nuits étaient agitées.

Une sueur presque continuelle, sinon abondante, augmentait encore mon malaise. Tous les soirs, avant le coucher, on me préparait une boisson réchauffée toute la nuit par la flamme d'une veilleuse : « Vous n'omettez pas de la prendre, n'est-ce pas, mademoiselle Camille, me dit madame P... — Sois tranquille, maman, je couche avec elle, et je m'en charge. » Sa mère s'était redressée tout à coup. « Quant à cela, je te le défends expressément ! J'ai mes raisons. Et j'ajouterai que si mon autorité ne suffit pas, j'aurais recours à celle d'un autre. Je t'en fais un cas de conscience. » Nous ne répondîmes pas, et pour cause.

Bizarre contradiction ! Cette femme rougissait intérieurement de cette intimité de nos rapports, et elle tolérait ma présence dans une institution de ce genre.

Elle voyait un danger pour sa fille dans une nuit passée à mes côtés ; elle n'en voyait pas à partager le même appartement, vivre de la même vie, dans cet échange habituel de soins familiers, de caresses, de baisers !...

Tout cela lui paraissait sans doute fort innocent. Aujourd'hui même je cherche encore le mot de cette énigme. Il m'échappe.

À partir de ce moment commença pour nous une nouvelle phase de notre existence, de laquelle pouvait naître un danger que nous n'étions plus seuls à redouter. Une surveillance active, quoique dissimulée, suivait chacun de nos pas. Madame P..., malgré son apparente tranquillité, avait perdu cette insouciance affectée que n'avaient pu ébranler les avertissements du docteur. Elle avait de nouveau fait la défense formelle à sa fille de partager mon lit. C'était une transaction tardive, devenue plus dangereuse qu'utile.

En effet, comment admettre que cette défense, quelque solennelle qu'elle fût, pût être respectée par nous ? N'était-ce pas demander à la nature un sacrifice héroïque dont elle est incapable !!!

Pour détourner les soupçons, il fut décidé que le soir chacun occuperait son lit séparément. Seulement, vers le milieu de la nuit, le premier éveillé allait rejoindre l'autre jusqu'au lendemain matin. De cette façon, à moins d'événements imprévus, personne ne pouvait nous surprendre, car les dortoirs étaient entièrement séparés du principal corps de logis, et madame P... n'y venait jamais.

Dans le courant de l'été, je reçus la visite de l'inspecteur de l'arrondissement. Il fut tel que je le désirais, c'est-à-dire courtois et bienveillant. D'habitude, il était escorté de monsieur le curé. Cette fois, il vint seul. Décidément je ne plaisais pas à notre estimable pasteur ; cela me valait au moins d'être dispensé de sa présence, à laquelle je n'attachais pas précisément beaucoup de prix !...

On attendait dans la famille un nouveau-né. La sœur cadette de Sara allait être mère pour la première fois. Inutile de dire que ce moment était attendu par tous avec la plus vive impatience ! La jeune femme venait tous les jours à la maison. Les préparatifs étaient faits.

Devant moi, l'*amie intime* de Sara, on ne se gênait pas ; naturellement, j'étais initié à tous ces petits détails secrets qui se communiquent entre personnes du même sexe !!!...

Une nuit, nous dormions depuis peu de temps mon amie et moi, lorsqu'on vint heurter à la porte de l'escalier ouvrant sur les deux salles. La servante venait nous annoncer la naissance d'une petite fille. Saisie au moment de se coucher par les douleurs de l'enfantement, la jeune femme avait pris le bras de son mari, et s'était rendue en toute hâte chez sa mère. Deux ou trois heures après, elle donnait le jour à une fille.

Nous étions descendus immédiatement, vêtus à peine, poussés par la curiosité, autant que par l'intérêt. Madame P... était rayonnante de joie. Je m'approchai du lit où reposait la jeune mère. Elle nous tendit les mains à tous deux, avec une expression d'ineffable ravissement !

La souffrance avait encore embelli ses traits, et leur avait donné ce charme particulier qui révèle toutes les joies de la maternité. Sa main nous avait montré le berceau placé à ses côtés. Sara avait découvert la petite créature, et la couvrait de baisers.

Je contemplais cette scène avec une émotion que je contenais à grand'peine !!!...

Debout, entre les deux lits, je regardais, tantôt Sara, tantôt cet enfant. Ma vue ne pouvait s'en détacher !!!...

Mon émotion n'avait pas échappé à Madame P... Elle me regardait attentivement, ne sachant à quoi attribuer la rêverie dans laquelle j'étais plongé... Si le bandeau qui lui couvrait les yeux eût été moins épais, si son aveuglement eût été moins grand, sans doute la vérité dans tout son éclat pouvait lui apparaître, et remplacer par l'épouvante son impassible confiance !!! Aima-t-elle mieux rester dans le doute que d'aborder ce terrible mystère ? Cela peut être...

Tous les jours, je venais passer de longues heures dans cette chambre. L'état de madame G... était des plus satisfaisants.

Quand elle put se lever, elle venait nous trouver pendant la récréation, allaitant son enfant sous nos yeux !!!

Sara idolâtrait sa petite nièce. Elle l'enviait à sa sœur ! Qui sait !!!

Au milieu du bonheur qui m'enivrait, j'étais affreusement torturé. Que faire, mon Dieu, que résoudre !

Ma pauvre tête était un chaos duquel je ne pouvais rien démêler. M'ouvrir à ma mère ? Mais il y avait de quoi la tuer ! Non ! Elle ne pouvait être initiée par moi à une telle découverte !

Prolonger indéfiniment la situation ?

C'était m'exposer inévitablement aux plus grands malheurs ! C'était outrager la morale dans ce qu'elle a de plus inviolable, de plus sacré !

Et plus tard, ne pouvait-on pas me demander compte d'un silence coupable, et faire peser sur moi les tristes conséquences que d'autres auraient dû prévoir !...

Les vacances approchaient. J'allais de nouveau me séparer de ma bien-aimée Sara. Nos adieux furent tristes, les miens surtout, car je n'étais pas certain de la revoir... Je la laissais sans lui faire part de mes projets.

J'arrivai à B... la mort dans l'âme.

On allait exiger de moi des explications que j'étais résolu à ne pas donner. M. de Saint-M... était contraint, embarrassé. Toutes mes lettres lui avaient été lues.

Il en cherchait vainement le sens. Ma tristesse lui faisait mal. Sans la comprendre, il prévoyait quelque catastrophe. Cette crainte était augmentée encore par le silence pénible dans lequel je me renfermais obstinément.

Ma mère et lui attendirent ainsi un aveu qui ne vint pas. Un mois s'était passé de la sorte. Le moment du départ approchait.

Mes forces étaient à bout. Je voyais arriver avec terreur le moment fatal !... Ma mère eut plus de courage. Il ne me restait plus que quelques jours à rester près d'elle !

Je la vis, un matin, rentrer dans ma chambre, et s'asseoir près de mon lit : « Camille, me dit-elle, tu as compris, n'est-ce pas, que tu ne peux t'éloigner ainsi de nous. Tes paroles, ta conduite inconcevables exigent une explication que je te supplie de m'accorder. » Elle ne put en dire davantage. Sa voix tremblait. Je baissai la tête sans répondre, pendant deux ou trois minutes !

Soudain, un trait de lumière me traversa l'esprit : « C'est bien, dis-je, tu veux savoir, tu sauras tout. Mais pas aujourd'hui ! Attends jusqu'à demain. C'est tout ce que je te demande. » Elle se retira.

La nuit suivante je ne dormis pas une seconde. À quatre heures du matin j'étais debout. En un clin d'œil, j'avais pris mes vêtements. Personne n'était levé dans la maison. J'ouvris sans bruit toutes les portes, et je me trouvai dans la rue.

Dans les circonstances ordinaires de la vie, j'ai souvent manqué de courage, d'initiative.

En face du danger, je me relève. Le malheur me trouve plein de force. Il en était ainsi dans cet instant, où je jouais l'avenir de toute ma vie... La lutte probable me donnait un élan surnaturel.

À cinq heures, j'étais agenouillé dans la chapelle de l'évêché. Monseigneur de B... disait tous les jours la messe à cette heure-là. À l'issue de sa messe, on le trouvait au confessionnal. La réputation de l'éminent prélat était universelle. Homme de génie par excellence, l'évêque de Saintes jouissait d'une suprématie incontestable dans l'épiscopat français. Quant à ses diocésains, ils lui avaient voué un culte qui ne peut se comparer. On était fier de lui. J'avais compris que là seulement je trouverais conseil et protection.

La messe finie, je fis un signe au valet de chambre qui la servait, pour le prier de prévenir Sa Grandeur. Il revint aussitôt me dire d'entrer à la sacristie. Je m'en approchai, non pas avec crainte, mais avec une énergie qui tenait du désespoir.

Je reçus la bénédiction épiscopale, et je m'agenouillai sur le prie-Dieu réservé aux pénitents. Ma confession fut entière. Elle devait être longue. Le prélat m'avait écouté avec un religieux étonnement. Ce n'était pas en vain que j'avais compté sur son indulgence. Mes paroles étaient un cri de suprême détresse auquel sa grande âme ne fut pas insensible ; son regard d'aigle avait mesuré l'abîme ouvert sous mes pas... Mes aveux si pleins de franchise le prévenaient en ma faveur.

Tout ce que la religion chrétienne peut offrir d'encouragements, de consolations, je le ressentis là !... Les quelques moments passés auprès de cet homme si grand sont peut-être les plus beaux de ma vie. « Mon pauvre enfant, me dit-il, quand son interrogatoire fut fini, je ne sais encore comment tout cela doit se terminer. M'autorisez-vous à user de vos secrets ? Car, bien que je sache à quoi m'en tenir sur votre propre compte, je ne puis être juge en pareille matière. Aujourd'hui même je verrai mon médecin. Je m'entendrai avec lui sur la conduite à tenir. Revenez donc demain matin, et soyez en paix. »

Le lendemain, à la même heure, j'étais à l'évêché. Monseigneur m'attendait. « J'ai eu, me dit-il, une entrevue avec le docteur H… Trouvez-vous dans son cabinet, aujourd'hui, avec votre mère. » J'avais prévenu celle-ci la veille. Son anxiété ne peut se décrire. À l'heure dite, nous étions chez le docteur. Ce n'était pas ce qu'on appelle un médecin généralement répandu ; mais c'était un homme de science dans toute l'acception du mot.

Il avait compris toute la gravité de la mission qui lui était confiée. Elle le flattait dans son orgueil, parce que, assurément, c'était la première qui lui arrivât de ce genre, et je dois dire qu'il était à sa hauteur.

Je ne m'étais pas attendu néanmoins à une investigation aussi sérieuse de sa part.

Il me déplaisait de le voir s'initier de lui-même à mes plus chers secrets, et je répondis en termes peu mesurés à quelques-unes de ses paroles qui me semblaient une violation.

« Ici, me dit-il alors, vous ne devez pas seulement voir en moi un médecin, mais un confesseur. Si j'ai besoin de voir, j'ai aussi besoin de tout savoir. Le moment est grave pour vous, plus que vous ne le pensez peut-être. Je dois pouvoir répondre de vous en toute sécurité, à Monseigneur d'abord, et sans doute aussi devant la loi, qui en appellera à mon témoignage. » Je me dispense d'entrer ici dans le détail minutieux de cet examen, après lequel la science s'inclina convaincue.

Il lui restait maintenant à faire réparer une erreur commise en dehors de toutes les règles ordinaires. Pour la réparer, il fallait provoquer un jugement en rectification de mon état civil.

« Franchement, me dit le bon docteur, votre marraine a eu la main heureuse en vous appelant Camille. Donnez-moi la main, *mademoiselle* ; avant peu, je l'espère, nous vous appellerons autrement. En vous laissant, je vais me rendre à l'évêché. Je ne sais ce que décidera Monseigneur, mais je doute qu'il vous permette de retourner à L... De ce côté-là, votre position est perdue ; elle n'est pas tolérable. Ce qui me surpasse, c'est que mon confrère de L... se soit compromis jusqu'à vous y laisser aussi longtemps, sachant ce que vous êtes. Quant à Madame P..., sa naïveté ne s'explique pas. » Il adressa ensuite quelques paroles d'encouragement à ma pauvre mère, dont la stupeur était à son comble. « Vous avez perdu votre fille, c'est vrai, lui dit-il ; mais vous retrouvez un fils que vous n'attendiez pas. »

Notre entrée dans l'appartement de M. de Saint-M... fut un événement. Le noble vieillard se promenait de long en large pour dissimuler son impatience fébrile. À notre vue, il s'arrêta ; ma mère le conduisit à son fauteuil et s'assit à ses pieds. Je me plaçai à quelque distance, peu désireux d'entamer le récit de ce qui venait de se passer. De temps à autre M. de Saint-M... levait les yeux sur moi et répondait par une exclamation aux détails que lui donnait ma mère. Stupéfait d'abord, il envisagea la situation avec plus de calme, calculant aussi qu'elle pouvait me donner dans l'avenir une position plus avantageuse. Avec de bonnes protections, on pouvait l'espérer. « C'est égal, disait-il, il me fallait arriver à quatre-vingts ans pour assister à un pareil dénoûment, et c'est toi, Camille, qui devais me le procurer ! Puisses-tu être heureux plus tard, pauvre enfant ! » J'étais troublé de façon à ne pouvoir répondre ; mon imagination en délire ne pouvait s'arrêter à une idée sérieuse, réfléchie.

Par instants je me demandais si je n'étais pas le jouet d'un rêve impossible.

Ce résultat inévitable que j'avais prévu, désiré même, m'effrayait maintenant comme une énormité révoltante. En définitive, je l'avais provoqué, je le devais sans doute ; mais qui sait ? Peut-être avais-je eu tort. Ce brusque changement qui allait me mettre en évidence d'une façon si inattendue ne blessait-il pas toutes les convenances ?...

Le monde, si sévère, si aveugle dans ses jugements, me tiendrait-il compte d'un mouvement qui pouvait passer pour de la loyauté, et ne s'attacherait-il pas plutôt à le dénaturer, à m'en faire un crime ?

Hélas ! je ne pus faire alors toutes ces réflexions. La voie était ouverte ; j'y étais poussé par la pensée du devoir à accomplir. Je ne calculais pas.

Le lendemain de ce jour, je me rendis à l'évêché. Monseigneur m'attendait. « J'ai vu le docteur, me dit-il, et je sais tout. Après mûre réflexion, voilà ce que j'ai décidé : Vous allez retourner à L..., pour quelques jours encore, afin d'enlever à votre départ l'éclat qu'il pourrait avoir, et pour vous, et pour la maison que vous dirigez. Je vous donne là une grande preuve de confiance. N'en abusez pas. Faites-vous remplacer le plut tôt possible et revenez ici, après quoi on avisera au moyen de vous faire une nouvelle place dans la société. »

Deux jours après, j'étais à L... Prévenue de mon arrivée, Sara m'attendait. Après les premiers embrassements, elle fut frappée de l'air de profonde gravité répandue sur ma physionomie. Comme elle m'en faisait l'observation, je m'assis sur le bord de mon lit, lui lançant un regard douloureux. « Ma bien-aimée, lui dis-je d'un accent ému, l'heure de la séparation est arrivée » ; et je lui racontai brièvement ce qui venait de se passer à B... Je vois encore son doux et cher visage et l'air de sombre tristesse qui vint le décomposer. Elle ne parla pas ; mais son regard éteint semblait me reprocher, comme une faute, l'importante détermination que j'avais prise sans elle. Si tu l'avais voulu, disait ce regard, nous pouvions être heureux encore de longs jours. Mais je ne suffis plus sans doute ; tu as soif d'une existence libre, indépendante, que je ne puis te donner.

En effet, il y avait de tout cela dans l'espèce de dégoût qui s'était emparé de moi. Je ne vivais plus. La honte que j'éprouvais de ma position actuelle eût suffi seule à me faire rompre avec un passé dont je rougissais.

Ce vaste désir de l'inconnu me rendit égoïste, en m'empêchant de regretter les liens si chers que j'allais briser par ma propre volonté.

Plus tard, je devais me repentir amèrement de ce que je regardais alors comme un impérieux devoir. Le monde devait m'apprendre bientôt que j'avais fait acte de faiblesse stupide, et m'en punir cruellement.

Les quelques jours que je passai à L... furent vraiment pénibles. Ma pauvre Sara ne pouvait dissimuler toujours les larmes qui l'oppressaient. Elle évitait soigneusement la présence de sa mère qui, elle-même, le croirait-on, ne pouvait s'habituer à l'idée de mon départ définitif.

J'avais eu, à cet égard, une explication avec elle, et, sans entrer dans le détail des considérations qui me faisaient agir, j'avais été forcé, pour lui en faire sentir toute la gravité, d'invoquer l'autorité de Monseigneur de B..., dont la volonté expresse ne me laissait plus la liberté du choix.

À ces vagues motifs, qui devaient être pour cette mère aveugle un avertissement terrible, elle répondait par une incrédulité vraie ou jouée qui dépasse toute croyance. Je me l'explique pourtant. Tant que j'étais sous son toit, elle ne pouvait donner une raison apparente à ma conduite, sans se mettre, vis-à-vis de moi, sur un pied hostile qui eût éveillé les soupçons de sa famille et du monde. C'est là ce qu'elle voulait éviter à tout prix. Au fond elle m'approuvait, je n'en puis douter, et son apparente sécurité cachait d'horribles angoisses dont sa fille était l'objet. Car si jusqu'alors elle avait fermé l'oreille à l'évidence, aux suggestions de son médecin, cela ne lui était plus permis. La vérité lui apparaissait dans tout son jour, et quelle devait être sa douleur en songeant aux suites de sa coupable confiance ! Rien néanmoins dans ses paroles, dans ses gestes, ne trahissait l'état de son âme. C'était une femme vraiment forte, ou d'une niaise ignorance. En face de Sara et de ses autres enfants, elle jouait un rôle admirable de simplicité touchante, sans aucune affectation, qui ne pouvait donner prise à la plus légère critique. Son affection pour moi était-elle feinte ? je l'ignore. Dans tous les cas l'esprit le plus prévenu s'y fût laissé prendre. Tous nous trompions et nous étions trompés, et cela de la meilleure foi du monde.

Jamais situation plus étrange, plus difficile, ne vint réunir trois personnes dans une communauté d'idées où tout était fausseté indigne, comédie incroyable de sentiments avoués avec le plus magnifique sang-froid.

Pour madame P..., j'étais et je devais toujours être la compagne choisie de sa fille.

Pour sa mère et les autres, Sara regrettait en moi l'amie, la sœur dont elle pouvait hautement déplorer l'absence, sans que nul y trouvât à redire. Celui qui, initié à tous ces mystères, nous eût vus tous les trois, discutant le nombre de jours que je passerais encore dans la maison de L..., se fût cru à une représentation de *Figaro* ou du Gymnase, et assurément jamais acteur idolâtré ne mit plus de vérité dans un rôle invraisemblable.

Chaque jour amenait une nouvelle scène, à ce point que j'en étais abasourdi, exaspéré.

Une après-midi, pendant que les élèves étaient en récréation, j'avais suivi Sara dans sa chambre... Mon départ était toujours le sujet de la conversation et de nouvelles larmes. Mon amie, debout à sa fenêtre, et une main passée autour de mon cou, pleurait silencieusement, quand sa mère entra tout à coup, avec sa sœur cadette.

Toutes deux s'assirent naturellement, comme pour s'associer à notre chagrin. Madame P... nous regarda tranquillement. « *Mademoiselle* Camille, me dit-elle, vous voyez combien vous êtes regrettée, et vous persistez donc dans votre résolution ? Qui vous remplacera près de Sara, près de moi ? » Je ne saurais dire l'effet que me produisirent ces paroles. J'en fus terrassé. C'était le comble de l'audace ingénue. C'était tenter Dieu.

Devais-je répondre par un aveu brutal, et flétrir cette chaste fleur dont le parfum m'enivrait encore ? Non assurément. Au prix de toute sa vie Sara ne se fût pas exposée à rougir devant sa mère et sa sœur. Le secret de notre amour devait mourir entre Dieu et moi.

Je répondis donc qu'une force indépendante de ma volonté m'obligeait à partir promptement, sans regarder en arrière. La jeune femme présente à cet entretien se taisait, et je comprenais instinctivement que mon secret n'en était plus un pour elle.

Sara occupait toute son attention ; elle épiait tous ses mouvements. La pauvre enfant, tout entière à sa douleur, ne voyait pas cela. Elle me tenait embrassé. Chacune de ses larmes était accompagnée d'un sanglot expressif. L'heure de la classe vint mettre fin à cette scène pendant laquelle je fus au supplice.

Peu de jours après, madame P... fit une absence et me prévint, à son retour, qu'elle avait trouvé à me remplacer, grâce à l'inspecteur de l'arrondissement. Je me préparai donc à partir d'un moment à l'autre, non sans un grand déchirement. La jeune fille annoncée arriva enfin ; je la reconnus pour une ancienne élève de l'école normale de D... Nos rapports furent assez froids. Sa présence était pour moi une gêne perpétuelle, et le signal d'une séparation désormais inévitable.

Témoin de l'intimité qui me liait à Sara et des regrets de sa mère, elle recherchait en vain les causes de mon départ précipité. Elle fut bientôt convaincue, qu'à l'exemple de ma tante, qui avait été sa compagne d'études, j'allais entrer en religion. Sa supposition me fit sourire. Mais je ne crus pas nécessaire de la désabuser.

Je devais rester deux ou trois jours de plus pour la mettre au fait de notre mode d'enseignement, non pas que je le jugeasse nécessaire, mais parce que madame P... m'en avait prié.

Sara lui parlait peu. Elle lui avait déplu tout d'abord.

Cela devait être ! Elle pouvait prendre ma place ; mais non pas me remplacer.

Le soir même de son arrivée, je manifestai l'intention de lui donner mon lit au dortoir qui, maintenant, devait être le sien, et d'occuper la petite chambre de Sara. Mon amie voulut m'en détourner ; sa mère m'approuva. Nous fûmes donc séparés cette première nuit ; mais le lendemain matin Sara vint faire sa toilette près de moi, après m'avoir offert son bonjour quotidien. Il en fut ainsi jusqu'à mon départ, fixé définitivement à la fin de la semaine.

M. le curé en avait été prévenu par une lettre de Monseigneur de B..., aujourd'hui archevêque de... J'allai donc, par pure bienséance, lui en parler. Je m'en repentis cruellement. Cet homme absurde ne trouva pas un mot encourageant à me dire dans la situation incroyable qui m'était faite. Rien ne pouvait fléchir l'inflexible rigueur de cet homme. Il ne me pardonna jamais. Que lui avais-je fait ? Rien. Inutile de dire que je ne retournai pas lui faire mes adieux, bien que madame P... m'en eût prié.

Je ne vis personne à L..., et, bien que mon départ y fût déjà connu, il se fit sans bruit, sinon sans les commentaires obligés qui servent d'aliment aux causeries de commères, en province.

Mon dernier jour était arrivé. J'allais enfin quitter la douce retraite, témoin de mes joies ignorées. J'allais voir, sous une nouvelle face, ce monde que j'étais loin de soupçonner.

Mon inexpérience me préparait de tristes désenchantements. Je voyais tout alors sous un jour radieux et pur de tout nuage ! Pauvre insensé que j'étais ; je tenais le bonheur, la vraie félicité, et j'allais, de gaieté de cœur,

sacrifier tout cela à quoi, à une idée, une sotte peur !!!
Oh ! je l'ai bien expié !! Au reste, à quoi bon les plaintes,
les regrets ? J'ai subi ma destinée, j'ai accompli, avec
courage, je crois, les devoirs pénibles de ma situation.
Beaucoup riront. Ceux-là je leur pardonne et je leur
souhaite de ne connaître jamais les douleurs sans nom
qui m'ont accablé !!!

Mes préparatifs étaient terminés. J'avais fait mes derniers adieux à mes élèves. Pauvres chères enfants ! Avec
quelle émotion j'avais embrassé leurs jeunes fronts !
Je les contemplai avec amour, me reprochant presque
les jours passés avec elles dans une grande et si étroite
intimité !

Il était sept heures du matin. Sara devait venir m'accompagner jusque sur la grand'route, où passait la
diligence. J'avais le cœur affreusement serré quand
je m'approchai de madame P... pour prendre congé.
Elle, de son côté, souffrait violemment. La douloureuse
contraction de ses traits le disait assez. Il y avait beaucoup de choses dans son silence. Du regret, d'abord ;
car, malgré tout, elle m'aimait sincèrement, loyale-
ment. Mais, à côté de cette affection spontanée, il y
avait du ressentiment, je n'en doute plus. Elle y voyait
clair alors. Pouvait-elle me pardonner le rôle mystérieux
que j'avais joué dans sa maison, près de sa fille dont la
pureté lui était si chère ? Je ne puis croire néanmoins
qu'elle soupçonnât l'*intimité* de nos relations. Non, car
avec la violence de ses sensations, elle en eût été fou-
droyée. Ma bonne foi lui était un sûr garant de la chasteté de son enfant.

Rare et déplorable naïveté de la part d'une mère !...
Dans son ignorance des choses de la vie, elle ne pouvait admettre que je pusse reparaître dans le monde

avec un nom, un état appropriés à mon sexe. « Ainsi, chère Camille, me dit-elle, il me faudra un jour peut-être vous appeler : *Monsieur !* Oh ! non, cela ne sera pas, dites ? — Cela sera, pourtant, madame, et avant peu, sans doute. Demandez plutôt à Monseigneur de B... — Mais enfin que dira le monde ! L'éclat qui en résultera retombera nécessairement sur ma maison ! et alors ! »

C'était là sa plus grande préoccupation, son cauchemar. Elle voyait son pensionnat perdu, sa considération gravement atteinte. Devant cette perspective elle oubliait sa fille, elle ne songeait pas à ce qu'avait pu être le passé, mais à ce que serait l'avenir.

« Allons, adieu, chère *fille !* » Et l'excellente femme n'en put dire davantage ; Sara s'était détournée, retenant ses larmes. Je lui fis un signe et nous partîmes, prenant un chemin détourné pour ne pas traverser le bourg. J'avais pris son bras que je serrais étroitement sur ma poitrine. Elle, de temps à autre, me donnait une pression de main. Nos regards se rencontraient alors et suppléaient éloquemment aux phrases qui venaient expirer sur nos lèvres.

Quel homme nous voyant ainsi enlacées eût pu découvrir le drame mystérieux de ces deux jeunes existences en apparence si calmes, si douces ?

Le vrai ne dépasse-t-il pas quelquefois toutes les conceptions de l'idéal, quelque exagéré qu'il puisse être ? Les métamorphoses d'Ovide ont-elles été plus loin ?

J'avais pressé une dernière fois dans mes bras celle que j'appelais ma sœur et que j'aimais avec toute l'ardeur d'une passion de vingt ans. Mes lèvres avaient effleuré les siennes. Nous nous étions tout dit. Je partais cette fois emportant dans mon âme tout le bonheur dont j'avais joui pendant ces années, le premier, l'unique amour de ma vie. La voiture, en s'éloignant, m'avait dérobé la vue de ma bien-aimée. Tout était fini.

Je crois avoir tout dit concernant cette phase de mon existence de jeune fille. Ce sont les beaux jours d'une vie vouée désormais à l'abandon, au froid isolement. Ô mon Dieu ! quel sort fut le mien ! Mais vous l'avez voulu, sans doute, et je me tais. De retour à B..., il fallut s'occuper des démarches relatives à mon apparition dans le monde civil comme sujet du sexe masculin.

Le docteur H... avait déjà préparé un volumineux rapport, chef-d'œuvre de style médical, destiné à provoquer devant les tribunaux une requête en rectification, laquelle devait être ordonnée par la cour de S..., lieu de ma naissance. Armé de cette pièce, je partis pour cette ville, muni en outre de recommandations particulières pour le président et le procureur impérial. Ma mère m'accompagnait. Notre première visite fut pour le vieux curé qui connaissait depuis longtemps ma famille. Je n'essayerai pas de donner ici une idée de son étonnement naïf à la lecture de la lettre que lui adressait à ce sujet Monseigneur de B... On le comprendra aisément. De tels faits sont assez rares pour que la curiosité s'en mêle. M. le président de L... de V... nous fit le meilleur accueil. Après avoir pris connaissance des faits et m'avoir adressé quelques questions : « Vous allez, nous dit-il, vous rendre de ma part chez M. D..., mon avoué, et lui remettre toutes ces pièces. Le reste se fera sans vous. Si plus tard votre présence était nécessaire, on vous le ferait savoir. » Nous repartîmes dès le lendemain, sans avoir prévenu ma famille de ce qui se préparait pour moi. Je voulais en garder le secret jusqu'au dénoûment qui allait être prochain. Une seule personne avait été exceptée : c'était mon aïeul maternel. Lui fut épouvanté, car il prévoyait à tort une issue dangereuse à notre repos à tous. Je le tranquillisai de mon mieux, l'assurant que tout se passerait légalement et convenablement.

Personne autre que lui ne connut donc le motif de notre voyage ; cependant je dois signaler quelques remarques, au moins étranges, qui furent faites sur ma personne. On m'avoua tout cela dans la suite. Une intime amie de ma mère avait été singulièrement frappée de ma démarche, de mon extérieur, de mes allures tant soit peu cavalières.

Autre part ce fut la même chose. C'était à l'hôpital où j'étais resté pendant trois ans, c'est-à-dire jusqu'à l'âge de dix ans, parmi les jeunes orphelines de mon âge. J'y avais revu l'aumônier avec infiniment de plaisir. La bonne supérieure m'appela encore sa *chère fille.* Elle nous reconduisit jusqu'à la porte en causant. Pendant ce temps-là une jeune fille de la maison, dont j'avais été la compagne favorite, nous observait d'une fenêtre. La rusée remarqua que je tenais mon parapluie sous le bras gauche et que j'avais la main droite dégantée derrière le dos. Cela lui parut assez peu gracieux de la part d'une *institutrice.* Mes mouvements du reste étaient en harmonie avec ma physionomie, aux traits durs et sévèrement accentués.

Il y avait à peu près quinze jours que j'étais de retour à B... lorsque l'avoué chargé de la requête me fit savoir que le tribunal avait, dans une première audience, nommé le docteur G... pour procéder à un nouvel examen avant de rendre une sentence définitive, et que ma présence était nécessaire chez le médecin.

Il fallut se résigner. Je m'y attendais d'ailleurs.

Inutile de dire que ce second examen eut le même résultat que le premier, et que, d'après le rapport auquel il donna lieu, le tribunal civil de S... ordonna que rectification fût faite sur les registres de l'état civil, en ce sens que je devais y être porté comme appartenant au sexe masculin en même temps qu'il substituait un nouveau prénom à ceux féminins que j'avais reçus à ma naissance.

J'étais à B... lorsque cet arrêt fut rendu. On m'y avait envoyé la minute du jugement consigné plus tard dans les *Annales de médecine légale.*

En consultant cet ouvrage, je découvris que pareil fait s'était passé en 1813, dans un département du Midi, sinon dans les mêmes circonstances, du moins dans les mêmes effets.

C'en était donc fait. L'état civil m'appelait à faire partie désormais de cette moitié du genre humain, appelée le sexe fort. Moi, élevé jusqu'à l'âge de vingt et un ans dans les maisons religieuses, au milieu de compagnes timides, j'allais comme Achille laisser loin derrière moi tout un passé délicieux et entrer dans la lice, armé de ma seule faiblesse et de ma profonde inexpérience des hommes et des choses !

Il ne fallait plus songer à dissimuler. Déjà on en parlait tout bas. La petite ville de S... retentissait de ce singulier événement, bien fait d'ailleurs pour exciter la critique et la calomnie. Comme toujours, on ajoutait considérablement à la chose. Les uns allaient jusqu'à accuser ma mère d'avoir caché mon véritable sexe pour me sauver de la conscription. D'autres me posaient en vrai Don Juan, ayant porté partout la honte et le déshonneur, et profité effrontément de ma situation pour entretenir secrètement des intrigues amoureuses avec des femmes consacrées au Seigneur. Je savais tout cela et je n'en étais nullement ému.

À B... ce fut bien autre chose. On me vit un beau matin assister à la messe en costume d'homme aux côtés de madame de R..., fille de M. de Saint-M... Une ou deux personnes seulement m'avaient reconnu ; c'était bien assez. Toute la ville fut en rumeur.

Les journaux se mirent de la partie. Tous, le lendemain, racontèrent le fait. L'un d'eux me comparait modestement à Achille filant aux pieds d'Omphale ; mais parmi ces fleurs se mêlaient des insinuations perfides et pour moi et pour d'autres. Après la presse départementale vinrent les articles plus ou moins piquants de quelques rédacteurs dont je n'ai pas oublié les noms, que certains journaux de Paris reproduisirent immédiatement. La haute société de la ville s'en émut. Je fis le sujet de toutes les conversations à l'établissement des bains de mer. Ce jour-là quelques notables s'y trouvaient avec le préfet, qui manifesta bien haut son étonnement. Heureusement pour moi, le nom de Monseigneur de B... me protégeait. On savait la part qu'avait prise en cela l'éminent prélat, et on était forcé de s'incliner. Le lendemain même j'allai lui faire une visite sous mon nouveau costume, ce qui lui permit alors de me témoigner avec plus d'abandon toute son affectueuse bienveillance. Sa Grandeur me serra chaleureusement la main, m'appelant son ami ! Le souvenir de cette scène m'est encore présent à l'esprit.

Oh ! je n'oublierai jamais tout ce que je dois à cet homme évangélique, et vraiment digne de ses hautes fonctions, tant par l'élévation de son rare génie, que par l'immense générosité de son âme. J'avais vu également le docteur H... « Si vous m'en croyez, dit-il, vous allez me suivre à la préfecture. Le préfet désire vous voir, et je ne doute pas qu'il soit disposé à vous être utile. En ce moment surtout il peut tout pour vous. »

Me voilà donc avec le docteur dans le cabinet du préfet, auquel ma visite parut faire plaisir. Il me reçut en père, me questionna amicalement sur mon passé et sur mes projets d'avenir. Ma position était difficile, elle l'intéressa. Je ne sais trop pourquoi l'idée m'était venue d'entrer au chemin de fer. J'en parlai au préfet qui ne me désapprouva pas, et me promit de faire une demande à la compagnie de... Puis souriant gaiement : « Vous savez, me dit-il, quelle tempête vous avez soulevée et les nombreux méfaits dont on vous accuse. N'y prenez donc pas garde. Marchez tête levée ; vous en avez le droit. Cela vous sera peut-être difficile, qui ne le comprendrait pas ? Aussi, et c'est un bon conseil que je vous donne, résignez-vous à abandonner ce pays pour quelque temps. Je vais m'occuper de cela. » Mieux que personne j'appréciais la justesse de ce conseil. Je sentais la nécessité d'un éloignement momentané, je le désirai vivement.

Ainsi que je l'avais craint, des bruits odieux circulaient dans le public sur l'intimité de mes relations avec mademoiselle Sara P... Selon les uns elle était réellement déshonorée. Oh ! je l'avoue, ce coup me fut le plus sensible. L'idée de voir cette pauvre enfant victime de la fatalité qui m'accablait, m'était insupportable. Le monde, ce juge impitoyable, pouvait impunément flétrir cette sainte affection de deux âmes loyales, lancées ensemble sur le bord d'un abîme secret, dont la chute inévitable avait été le lien mystérieux. Stupide aveuglement de la foule qui condamne quand il faudrait absoudre !

Je la connaissais assez pour être parfaitement convaincu qu'elle souffrait en silence et avec courage, sans pour cela me maudire. Elle seule peut-être me comprenait. Elle seule m'aimait ! Bien longtemps son souvenir adoré m'a soutenu, m'a donné la force de vivre !! Aujourd'hui encore que tout semble m'avoir abandonné, et que l'affreuse solitude s'est faite autour de moi, comme si mon malheur dût être fatal à tout ce qui me touche, j'éprouve quelque douce joie à penser qu'un être en ce monde a daigné s'associer à ma misérable existence et conserve au pauvre délaissé un peu de tendre pitié. Peut-être n'est-ce qu'une illusion ? Peut-être au moment où j'écris ces lignes a-t-elle pour jamais chassé de son cœur celui dont elle fut l'unique bonheur. Mon Dieu ! que me reste-t-il alors ? Rien. La froide solitude, le sombre isolement ! Oh ! vivre seul, toujours seul, au milieu de la foule qui m'environne, sans que jamais un mot d'amour vienne réjouir mon âme, sans qu'une main amie se tende vers moi ! Châtiment terrible et sans nom ! qui jamais pourra te comprendre ? Porter en soi d'ineffables trésors d'amour et être condamné à les cacher comme une honte, comme un crime ! Avoir une âme de feu et se dire : Jamais une vierge ne t'accordera les droits sacrés d'un époux. Cette suprême consolation de l'homme ici-bas, je ne dois pas la goûter. Oh ! la mort ! la mort sera vraiment pour moi l'heure de la délivrance ! Autre juif errant, je l'attends comme la fin du plus épouvantable de tous les supplices !!! Mais vous me restez, mon Dieu ! vous avez voulu que je n'appartinsse à personne ici-bas, par aucun de ces liens terrestres qui élèvent l'homme en perpétuant votre œuvre divine ! Triste déshérité, je puis encore lever les yeux vers vous, car vous du moins vous ne me repousserez pas !

Cinq ou six semaines après ma visite au préfet, je reçus l'invitation de me rendre à Paris, près de M. le chef d'exploitation du chemin de fer de... Cette lettre me combla de joie. À la perspective d'un voyage à Paris se joignait l'espoir d'abandonner promptement un pays que j'avais pris en horreur, et d'échapper enfin à cette espèce de ridicule inquisition dont je me voyais l'objet. Le préfet que j'allai voir aussitôt partagea sincèrement ma satisfaction et m'engagea à ne pas différer mon départ. Ma pauvre mère était radieuse, bien que l'idée d'une prochaine séparation vînt se mêler tristement à cette compensation qui lui paraissait déjà comme l'aurore d'un avenir radieux.

Toujours bon et prévoyant, M. de Saint-M... m'avait recommandé instamment à Paris, à l'un de ses petits neveux qui, depuis longtemps, habitait cette ville. Ce dernier n'était pas étranger pour moi. Il me connaissait. Il connaissait ma mère, et l'attachement véritable que lui avait voué toute sa famille. Aussi me fit-il l'accueil d'un frère. Grâce à lui, je ne connus pas le terrible embarras du provincial, jeté seul, et pour la première fois, dans le tourbillon de ce tumultueux Paris.

Le lendemain de mon arrivée il m'accompagna à l'administration de... où je vis le chef d'exploitation, M...., dont je ne désignerai pas ici le nom trop connu. Dans la courte entrevue que j'eus avec lui, je sollicitai comme une faveur d'être appelé à Paris, ce qu'il me promit. Ses dernières paroles furent celles-ci : « Retournez à B... et attendez votre nomination au premier jour. »

Je laissai donc Paris le surlendemain, l'ayant à peine

entrevu, mais comptant bien le revoir plus amplement. Le temps que je passai à B... ne fut pas troublé par aucun incident sérieux. Je sortais chaque jour et toujours seul. Le bruit de mon aventure commençait à s'éteindre. On appréciait mieux la situation, maintenant qu'elle se dessinait au grand jour. Je dois dire d'ailleurs que ceux dont j'étais très connu me témoignaient une plus grande sympathie depuis l'éclat des derniers événements. « Pauvre enfant, disait une mère dont la fille avait été mon amie et ma compagne d'étude, je l'aime davantage maintenant, car je puis doublement l'apprécier. Il a dû bien souffrir ! »

Je laisse à penser quelle fut la consternation de mes excellentes maîtresses d'école normale. On ne saurait s'en faire une idée. À ce sujet le vénérable aumônier m'écrivait une lettre toute paternelle et amicale. Je puis maintenant, mon cher fils, vous dire quelle affection véritable j'ai conservée à mon *ancienne fille*. Mais ce que vous ne sauriez comprendre, c'est l'étonnement naïf de nos bonnes religieuses dont vous avez été l'élève favorite, en quelque sorte. Sœur Marie-des-Anges, à la nouvelle que je lui donnai de votre transformation, se couvrit le visage de ses mains, en songeant à l'étroite intimité qui vous unissait à elle. « Mon Dieu ! s'écria la chaste créature, moi qui l'ai embrassé de si bon cœur lors de son dernier séjour ici pendant la retraite à laquelle je l'avais convié ! et lui, en me quittant, me baisait les mains sans aucun scrupule. » Mais ces bons cœurs ne m'accusaient pas pour cela, et leur affection, bien que changeant de forme, me fut conservée dans le fond. Celle-là, je le sais, ne me fera pas défaut, car elle s'appuie sur les bases les plus pures, les plus saintes.

C'est dire que toutes les suppositions faites sur mes

rapports antérieurs avec ces anges terrestres sont fausses, complètement fausses. Sans doute elles étaient permises jusqu'à un certain point, et je ne puis nier que j'aie été terriblement exposé, on le comprend ; mais moi seul connaissais le danger. Si j'ai souffert, si j'ai lutté, personne du moins ne l'a soupçonné. J'ai dû certainement à la solidité des principes de ma jeunesse, à leur extrême pureté, de n'avoir pas à rougir devant ces fronts candides, dont la douce sérénité ne fut pas troublée par moi.

J'ai dit ces quelques paroles, non pour me justifier, mais parce que je me reprocherais comme un crime, comme une insigne lâcheté d'avoir entretenu le soupçon sur des êtres dont l'âme est ce qu'il y a de plus digne des regards de Dieu.

Ma correspondance avec Sara n'avait pas cessé. Elle recevait mes lettres, me répondait régulièrement, mais à l'insu de sa mère. Je n'osais plus écrire à cette dernière. J'avais tort, cependant, je l'ai compris plus tard. Mon silence craintif à son égard devait lui sembler ou une froide indifférence pour elle et sa fille, ou l'explication tardive d'une conduite coupable dans sa maison.

Là encore mon inexpérience m'a perdu. Je n'en puis douter, si j'avais su diriger la situation, mon avenir était changé. Aujourd'hui peut-être je serais son gendre.

Mais Dieu ne le voulait pas, sans doute, et j'avais tort d'ambitionner ce titre, qui ne sera jamais le mien ! Madame P... m'aimait d'une affection sincère, maternelle. Mon départ la blessait doublement, en la menaçant dans ses intérêts les plus chers : la réputation de sa fille, gravement compromise, et la renommée de sa maison. L'une et l'autre furent atteintes, cela devait être ; on chuchota tout bas autour d'elle. Le présent expliquait le passé, déjà si équivoque. Les inspecteurs de l'Académie ne purent s'empêcher d'attaquer avec elle cette corde si délicate. Ils savaient toutes les péripéties de ce drame dans lequel le rôle que j'avais joué éclatait à tous les yeux. Le lui rappeler, à elle, de quelque façon que ce fût, c'était la faire passer par toutes les tortures de la honte, de la frayeur, c'était mettre en doute l'honorabilité de son caractère d'ombrageuse fierté. En de telles circonstances la pauvre femme dut maudire bien des fois le jour où elle m'avait donné place à son foyer. Son cœur de mère dut être broyé aux terribles réflexions qui se présentaient à son esprit ; aux reproches peut-être que lui faisait sa conscience, si longtemps aveugle parce qu'elle était loyale, et que soupçonner son enfant était au-dessous d'elle. Pourtant, mon Dieu ! elle était femme, et à ce titre elle pouvait connaître les limites des forces humaines !

Il y avait un mois que j'avais laissé Paris, lorsque je reçus l'ordre de m'y rendre pour me mettre à la disposition du chef d'exploitation du chemin de fer de... Je partis ; mais avant j'allai voir une dernière fois Monseigneur. La pensée que je le laissais pour bien longtemps, sans doute, m'était pénible. Il est si rare de rencontrer de tels hommes unissant toutes les qualités de l'âme aux richesses d'un grand esprit. La situation exceptionnelle dans laquelle Sa Grandeur m'avait rencontré, l'avait touché singulièrement. Il s'était attaché à moi, si je puis le dire. Le bon prélat me prit la main, et, me serrant avec effusion contre son cœur, il me bénit. J'étais trop ému. Je ne pus que courber la tête en silence, balbutiant en me retirant quelques paroles de remercîment.

Ma pauvre mère avait versé des larmes en se séparant de moi, et malgré tous mes efforts je l'imitai, je l'avoue. Dans vingt-quatre heures un espace de deux cents lieues allait nous séparer. C'était la première fois ; certes quelques larmes de regrets étaient bien permises. Nous avions, il est vrai, l'espérance de nous revoir. Il n'en était pas ainsi de mon noble et vénéré bienfaiteur, M. de Saint-M... Au bord de sa tombe il ne pouvait plus espérer. « Mon pauvre Camille, me dit-il, avec des sanglots dans la voix, nous ne nous reverrons plus ! » Sa main pressait la mienne. Je la sentais trembler.

Je ne sais rien de plus déchirant qu'un vieillard en pleurs. Oh ! je me sentis défaillir en face de cette douleur qui témoignait de l'affection la plus profonde, la plus vive. En effet, je sentais là battre un cœur de père, je le savais, et comme j'en étais fier !

Homme vénérable, repose en paix dans la tombe !! La mort a été pour toi le terme d'une existence pleine de bonnes œuvres, de généreux bienfaits dont ta grande âme a reçu la récompense ! Puisses-tu entendre ma faible voix ! Elle te dira qu'il est ici-bas un cœur tout rempli de ton souvenir.

Il n'est plus maintenant ! Cette mort a brisé en moi un lien que rien au monde ne saurait remplacer !!! J'ai été privé d'assister à ses derniers instants. Il les sentit approcher. Une crise vint, crise terrible dans laquelle cependant il put prononcer les noms de tout ce qu'il aimait, et faire ses adieux à ma mère. Réunissant ses mains à celles de sa fille, il les regarda toutes deux et s'éteignit en prononçant mon nom !

Deux ans se sont écoulés depuis ce jour. Mais je le retrouve encore tout entier dans mon cœur. Le culte que je lui ai voué est la dernière, l'unique joie de ma vie ! Ah ! que depuis, au milieu du dégoût, des amertumes qui m'abreuvent, j'ai pu entrevoir le vide affreux qu'a creusé son absence !

Et maintenant seul !... seul... pour toujours ! Abandonné, proscrit au milieu de mes frères ! Eh ! que dis-je ! Ai-je le droit de donner ce nom à ceux qui m'environnent ? Non, je ne l'ai pas. Je suis seul ! De mon arrivée à Paris, date une nouvelle phase de ma double et bizarre existence. Élevé pendant vingt ans au milieu de jeunes filles, je fus d'abord et pendant deux années, au plus, femme de chambre. À seize ans et demi j'entrais en qualité d'élève-maîtresse à l'école normale de... À dix-neuf ans j'obtins mon brevet d'institutrice ; quelques mois après je dirigeais un pensionnat assez renommé dans l'arrondissement de... ; j'en sortais à vingt et un ans. C'était au mois d'avril. À la fin de la même année j'étais à Paris, au chemin de fer[1]...

Va, maudit, poursuis ta tâche ! Le monde que tu invoques n'était pas fait pour toi. Tu n'étais pas fait pour lui. Dans ce vaste univers, où toutes les douleurs ont place, tu y chercheras en vain un coin pour y abriter la tienne. Elle y fait tache. Elle renverse toutes les lois de la nature et de l'humanité. Le foyer de la famille t'est fermé. Ta vie même est un scandale dont rougirait la jeune vierge, le timide adolescent.

Parmi ces femmes avilies qui m'ont souri, dont les lèvres ont effleuré les miennes, il n'en est pas une sans doute qui ne se fût reculée de honte sous l'étreinte de mes embrassements, comme au toucher d'un reptile. Eh bien ! moi, je ne maudirai personne. Oui, j'ai passé au milieu de vous sans y laisser l'ombre d'un souffle.

---

1. Ici s'interrompt la reproduction continue du manuscrit. Les pages qui suivent ne sont que des extraits des textes que A. Tardieu a eus entre les mains. *(M. F.)*

Homme ! je n'ai pas souillé mes lèvres de vos parjures, et mon corps de hideux accouplements. Je n'ai pas vu mon nom traîné dans la boue par une épouse infidèle. Toutes ces plaies infectes que vous étalez au grand jour m'ont été épargnées.

De cette coupe dorée je n'en ai aspiré que le parfum. Vous en avez bu jusqu'à la lie toutes les hontes, tous les déshonneurs, sans être encore satisfaits. Gardez donc votre pitié.

Elle vous appartient plus qu'à moi, peut-être. Je plane au-dessus de toutes vos misères sans nombre, participant de la nature des anges ; car vous l'avez dit, ma place n'est pas dans votre étroite sphère. À vous la terre ; à moi l'espace sans bornes. Enchaînés ici-bas par les mille liens de vos sens grossiers, matériels, vos esprits ne plongent pas dans cet Océan limpide de l'infini, où s'abreuve mon âme égarée pour un jour sur vos plages arides.

Dégagée par avance de son enveloppe vierge, elle a entrevu avec béatitude la lumineuse clarté d'un monde immortel, resplendissant, sa demeure future est désirée. Oh ! qui pourrait dire les élans de pure ivresse d'une âme que rien de terrestre n'attache à l'humanité ! Et de quel œil elle contemple cet horizon fermé, où s'agitent tant de passions, tant de haineuses colères, tant de matérialité ! Et c'est à moi que vous jetterez votre insultant dédain, comme à un déshérité, à un être sans nom !

En avez-vous bien le droit ? Comment, ce serait vous, hommes dégradés, mille fois avilis et à jamais inutiles, jouets méprisables et méprisés de créatures corrompues, dont vous vous parez comme d'une conquête. Ce serait vous, dis-je, qui viendriez me jeter à la face le sarcasme et l'outrage ? Ah ! ah ! oui, soyez fiers de vos droits.

La fange qui vous couvre témoigne assez du noble usage que vous en avez fait. C'est moi qui pourrais vous plaindre, pauvres esprits déchus, qui avez épuisé en de misérables satisfactions toutes les sources vives de votre cœur, qui avez éteint jusqu'au dernier rayon de votre intelligence, ce pur flambeau destiné à guider votre raison dans les sentiers de la vie. Oui, je vous plains, car vous n'avez pas souffert. Pour souffrir, il vous a manqué un cœur noble, grand, une âme généreuse. Mais l'heure de l'expiation viendra, si déjà elle n'est venue. Et alors vous serez effrayés du vide affreux de tout votre être.

Malheureux ! vous ne trouverez rien pour le remplir. Vous en arrivez au seuil de l'éternité, à regretter quoi ? La vie. En face de l'immortalité, vous regretterez la poussière, le néant !

Je vous le dis, moi que vous avez foulé aux pieds, je vous domine de toute la hauteur de ma nature immatérielle, virginale, de mes longues souffrances.

Je dis mes longues souffrances, et je dis vrai, car moi aussi j'ai rêvé ces nuits délirantes, ces brûlantes passions qui ne devaient m'être révélées que par intuition.

J'ai eu des tressaillements de tigre en voyant le soir sous le feu des lustres passer ces femmes, belles de leur parure plutôt que de leurs attraits flétris dès longtemps. Assis tristement au parterre d'un théâtre, et parcourant d'un œil morne toute l'enceinte circulaire, j'analysais secrètement toutes les joies renfermées dans ces paroles dissimulées sous l'éventail, dans ces sourires promettant le bonheur dans une pression de main. Ah ! ne le croyez pas, je ne subissais pas, sans être jaloux, le choc de tous ces courants électriques, se croisant en tous sens. Non. J'étais jeune. J'enviais aussi ma place à ce banquet de l'amour. Et je ne devais être à personne…, qu'à Dieu. Avant d'en arriver à ce détachement absolu d'une âme vaincue par la lutte même, oh ! croyez-le, j'ai cruellement souffert !

Au milieu de mes maux je nourrissais une illusion folle, coupable, sans doute. Mais qui donc oserait me la reprocher ? Une jeune fille m'avait aimé, comme on aime pour la première fois. Elle le croyait du moins.

Sa candide ignorance n'avait rien rêvé au delà des joies incomplètes que je lui ai révélées. Plus tard son oubli m'écrasa. Il me ramena aussi à la vérité de la situation que j'avais oubliée un instant.

Ce fut alors que ce dernier, cet unique bonheur m'étant ravi, je compris bien l'étendue de mes devoirs et le douloureux sacrifice qu'ils m'imposaient.

Je rompis instantanément, généreusement avec tous les souvenirs de mon passé. Je m'ensevelis vivant, jeune, dans cette solitude éternelle que je trouve partout, au milieu des agitations de la foule, comme dans la retraite la plus ignorée !

Ma raison égarée me fut rendue. Avec elle je retrouvai bientôt l'oubli, sinon la paix, le bonheur.

Hélas ! il n'a jamais lui pour moi.

Bien des jours ont passé depuis. La consommation a été entière. Ce n'est plus que par la pensée que je m'entretiens encore avec cette ombre chère d'un amour éteint. Je me reporte parfois à ces jours si vite envolés de sainte tendresse, d'illusions chastes, où jeune homme, parmi des jeunes filles, mes sœurs, mes compagnes, cette douce et intime confraternité suffisait à ma vie, que pas un souffle n'avait ternie.

De pareils souvenirs n'ont rien d'amer. Ils consolent

de bien des déceptions. C'est l'oasis embaumée, où se réfugie mon âme blessée par d'orageuses luttes. Aujourd'hui j'envisage avec calme la sombre perspective de mon implacable destinée.

Profondément dégoûté de tout et de tous, j'endure, sans en être ému, les injustices des hommes, leurs haines hypocrites. Elles ne sauraient m'atteindre dans le sûr retranchement où je m'enferme.

Il y a entre eux et moi un abîme, une barrière infranchissable... Je les défie tous.

*30 mai 186...* — Seigneur ! Seigneur ! le calice de mes douleurs n'est-il donc pas encore vide ! Votre main adorable ne doit-elle donc s'étendre sur moi que pour frapper, pour briser ce cœur si profondément ulcéré, qu'il ne s'y trouve plus de place ni pour la joie, ni pour la haine ? Mon isolement peut-il être plus complet ; mon abandon plus poignant ?

Oh ! pitié, mon Dieu ! pitié, car je succombe à cette lente et épouvantable agonie, car mes forces m'abandonnent, car la goutte d'eau s'est faite océan. Elle a envahi toutes les puissances de mon être.

Elle a creusé sous mes pas un abîme toujours plus vaste, plus profond, dans lequel je ne puis plonger le regard sans en éprouver un horrible vertige. Il me semble, par moment, que ce sol miné va s'affaisser sous mes pieds et m'engloutir pour jamais !

Cette lutte incessante de la nature contre la raison m'épuise chaque jour davantage et m'entraîne à grands pas vers la tombe.

Ce ne sont plus des années qui me restent, ce sont des mois, des jours peut-être.

Je le sens d'une manière évidente, terrible, et combien cette pensée est douce, consolante pour mon âme. Là est le trépas, l'oubli. Là, sans nul doute, le malheureux exilé du monde trouvera enfin une patrie, des frères, des amis. Là il y aura une place pour le proscrit.

Ce jour arrivé, quelques médecins feront un peu de bruit autour de ma dépouille ; ils viendront en briser tous les ressorts éteints, y puiser de nouvelles lumières, analyser toutes les mystérieuses souffrances amassées sur un seul être. Ô princes de la science, chimistes éclairés, dont les noms retentissent dans le monde, analysez donc, s'il est possible, toutes les douleurs qui ont brûlé, dévoré ce cœur jusque dans ses dernières fibres ; toutes ses larmes brûlantes qui l'ont noyé, desséché sous leurs sauvages étreintes !

Sachez combien de pulsations lui ont imprimées les mépris sanglants, les injures, les railleries infâmes, les amers sarcasmes, et vous aurez trouvé le secret que garde impitoyablement la pierre du tombeau !...

Alors on donnera une pensée au malheureux que pendant sa vie on a indignement repoussé, rougissant parfois de lui accorder un serrement de main, à qui même l'on a refusé du pain, et jusqu'au droit de vivre.

Car j'en suis là. La réalité m'accable, elle me poursuit. Que vais-je devenir ? Je l'ignore. Où trouver pour demain le morceau de pain que donne le travail ?

Me faudra-t-il donc le demander à l'aumône, au crime ! Revenu dans ce Paris que j'aime parce que j'y suis oublié, me faudra-t-il épier le soir le passage d'un homme heureux qui me fera la grâce d'une insulte, en me montrant du doigt à un agent de sûreté. À quelle porte n'ai-je donc pas frappé pourtant ?

Admis près de quelques personnages dont j'étais connu, j'ai prié, j'ai supplié pour que l'on me vînt en aide. Certes, cela leur était facile. Leur influence à Paris

pouvait d'un mot me donner un moyen de gagner hono-
rablement ma vie.

Oh ! je dois le dire, partout je reçus de chaleureuses
protestations de dévouement, sur lesquelles je fus assez
stupide pour compter. Insigne folie dont je fus bien
vite revenu. Je compris enfin que désormais je devais
compter sur moi seul. Mes faibles ressources étaient
épuisées, j'allais bientôt avoir à connaître les angoisses
de la misère, les tortures de la faim. Car un mois s'était
passé ainsi à prier, à attendre le résultat toujours néga-
tif d'une démarche.

Un dernier parti me restait ; je l'adoptai, croyant cette
fois avoir trouvé le salut.

J'allai résolûment me faire inscrire comme valet
de chambre dans l'un de ces nombreux refuges dont
Paris fourmille, dans un bureau de placement pour les
domestiques. Avez-vous servi ? Telle fut la demande
qu'on me fit tout d'abord.

Et sur ma réponse négative : « Vous trouverez difficilement ; mais enfin revenez, nous verrons. »

Hélas ! j'y revins tous les jours, et tous les jours aussi
j'entendis l'accablante réponse.

Je n'ignore pas que je suis un sujet de singulier étonnement pour tous ceux qui m'environnent.

Tous ces jeunes visages qui respirent la joie de leur
âge semblent lire sur le mien quelque effrayante vérité
dont le secret leur échappe.

La froide fixité de mon regard semble les glacer et les
force presque au respect.

Comment définir cette impression étrange qu'inspire
ma présence ? Je ne le saurais. Mais pour moi elle est
visible, incontestable.

Eux-mêmes la subissent : ils ne l'expliquent pas.

Ces gais enfants de la rive gauche, des futurs maîtres de la science, qui préparent leurs succès entre un baiser et une demi-tasse, avec lesquels je suis en contact journalier, au restaurant seulement, ne s'expliquent guère, non plus, l'espèce de morne sauvagerie de mes habitudes, qui n'est pas explicable, en effet, à vingt-huit ans. Si je souris quelquefois à mes gentilles voisines de table, nulle d'entre elles du moins ne saurait dire quel est le minois qui partage mon réduit. Et c'est là un renseignement qu'elles peuvent donner avec certitude sur tel ou tel étudiant du quartier ; car elles se connaissent toutes, si elles ne s'aiment pas toujours. Elles sont parfaitement au courant des changements qui se succèdent dans leurs ménages réciproques, et des échanges qui s'opèrent entre leurs chevaliers de la veille et ceux du lendemain.

Il y a vraiment une curieuse étude à faire sur ces mœurs locales. Sans être mêlé à aucune intrigue, sans être acteur dans la comédie, j'assiste souvent à d'étranges scènes entre ces amoureux couples. Simple spectateur, j'observe consciencieusement, et j'en arrive presque toujours à me dire que mon rôle est le meilleur.

Du haut de ma fière indépendance je m'établis juge. L'expérience réelle que j'ai acquise du cœur de la femme me place bien au-dessus de certains critiques célèbres dont les appréciations, je dois le dire, m'ont plus d'une fois frappé par leur fausseté.

Dumas fils, entre autres, a vainement tenté de déchirer ce voile, qui ne s'est écarté qu'à demi, impénétrable qu'il est à l'œil des profanes.

Tu n'iras pas plus loin, lui fut-il répondu.

Il a été arrêté en effet dans son prodigieux élan. Pourquoi ? Il lui manquait le mot de passe pour pénétrer dans le sanctuaire. Il s'est égaré dans un labyrinthe sans issue, dont il est sorti épuisé, vaincu ; mais non pas initié à cette science qu'il prétend connaître, que jamais homme ne possédera.

Doit-on déplorer qu'il en soit ainsi ? Non. Oh ! non.

Je dis pour ma part, et j'en suis moralement convaincu, il y a là, non pas seulement une impossibilité, mais une nécessité indispensable, une limite qu'il serait dangereux à l'homme de franchir. Ses facultés s'y opposent, son bonheur en dépend.

Par une exception dont je ne me glorifie pas, il m'a été donné, avec le titre d'homme, la connaissance intime, profonde de toutes les aptitudes, de tous les secrets du caractère de la femme. Je lis dans ce cœur, à livre ouvert. Je pourrais en compter toutes les pulsations. J'ai, en un mot, le secret de sa force et la mesure de sa faiblesse ; aussi est-ce pour cela que je ferais un détestable mari ; aussi je le sens, toutes mes joies seraient empoisonnées dans le mariage, et j'abuserais cruellement, peut-être, de l'immense avantage qui serait le mien, avantage qui tournerait contre moi.

Après bien des démarches on se décida, au bureau de placement, à me donner une lettre d'introduction chez une dame, en quête d'un valet de chambre.

Madame la comtesse de J... habitait un petit hôtel du faubourg Saint-Honoré.

Je la trouvai seule dans un vaste salon où elle écrivait. Elle prit ma lettre, vint s'asseoir auprès de son feu et me fit plusieurs questions auxquelles je m'attendais du reste. Je n'avais pas servi, tel était toujours l'obstacle insurmontable.

J'aurais bien pu lui dire : j'ai été femme de chambre. Mais le moyen de répondre par une semblable énormité...

Cependant on eût passé sur ce point capital.

« Ici, me dit la dame avec un peu de bonne volonté, vous pourriez apprendre le service en peu de temps ; mais vous me paraissez faible, délicat, et nullement fait pour un travail de cette sorte. Je ne puis donc vous prendre chez moi. »

On me congédia.

Malheureusement elle disait vrai.

Je suis faible et d'apparence maladive. Avec cela on ne trouve guère à se loger qu'à l'hôpital. Ce sera là sans doute ma dernière étape.

J'allais de temps à autre rendre visite à une élégante jeune femme, dont le mari dirige un brillant café du Palais-Royal.

Mes relations avec elle étaient des plus amicales. Elle connaissait un peu ma famille, et les principaux événements de ma vie avaient excité au plus haut point sa curiosité féminine. Aussi, avec l'habileté de son sexe, trouvait-elle souvent le moyen d'amener la conversation sur ce terrain, attendant toujours quelque mystérieuse confidence, dont je fus toujours peu prodigue, même à son égard.

Les impressions de ma vie ne sont pas de celles qu'on puisse jeter à tous les vents. Il y a là des situations que peu de personnes peuvent apprécier, et certainement pour quelques gens grossiers de notre époque il y aurait matière à plus d'une sotte interprétation des faits et des choses, interprétation qui ne serait pas toujours sans danger pour moi, comme j'ai été à même d'en juger parfois.

J'en puis citer un exemple : C'était au chemin de fer de… Un sous-chef de bureau s'entretenait avec moi de l'originalité de mon passé. Il croyait tout bonnement que *recherchée* un jour par un jeune homme, je m'étais *rendue* à ses désirs, et que là s'était faite la découverte de mon véritable sexe. On voit jusqu'où peut s'étendre cette faculté de me juger, et quelles sérieuses conséquences elle peut avoir pour moi, pour mon repos.

Admis à titre provisoire dans une administration financière, où je passai quelques mois dans une tranquillité exempte du plus léger nuage, je pouvais espérer mon admission définitive. Il n'en fut pas ainsi. Des changements survinrent dans la Société qui lui imposaient l'obligation de réduire son personnel. On me remercia, me faisant entrevoir, il est vrai, la possibilité d'être réintégré plus tard dans mon poste ; mais ce ne pouvait être une certitude.

Me voilà donc de nouveau à la recherche d'un gagne-pain. Mes ressources pouvaient me permettre d'attendre un mois. Dans ces conditions je pouvais me croire riche. Il me faut si peu. Ce que je mange dans une journée suffirait à peine au déjeuner d'un homme de mon âge, pourvu d'un bon estomac.

Quant à l'inquiétude, je puis bien affirmer que je n'en avais pas.

Je considère chaque jour qui m'est donné comme devant être le dernier de ma vie. Et cela tout naturellement, sans le moindre effroi.

Pour comprendre une telle indifférence à vingt-neuf ans, il faudrait, comme moi, s'être vu condamné au plus amer de tous les supplices, à l'isolement perpétuel. L'idée de la mort, généralement si repoussante, est pour mon âme endolorie d'une douceur ineffable.

La vue d'un tombeau me réconcilie avec la vie. J'y éprouve je ne sais quoi de tendre pour celui dont les ossements sont là à mes pieds. Cet homme qui fut étranger pour moi devient un frère. Je converse avec cette âme délivrée de ses chaînes terrestres ; captif, j'appelle de tous mes vœux l'instant où il me sera donné de la rejoindre.

L'émotion me gagne à tel point que je sens mon cœur dilaté par la joie, l'espérance. Je pleurerais, mais de bien douces larmes.

Ce que je décris ici je l'ai éprouvé bien souvent ; car ma promenade favorite à Paris, c'est le Père-Lachaise, le cimetière Montmartre. Le culte des morts est né avec moi.

Le provisoire, malheureusement, menaçait de durer trop longtemps ; mes finances s'épuisaient de façon à me suggérer de tristes réflexions.

Même avec la perspective d'un nouveau rappel, cette situation ne pouvait guère durer, car j'en étais arrivé à me demander comment le lendemain je pourrais déjeuner.

Vous qui me lisez, puissiez-vous ne jamais savoir tout ce qu'il y a d'horrible dans cette parole.

Une pareille situation, en se prolongeant, peut amener le malheureux qu'elle accable aux plus affreuses extrémités. De ce jour enfin, j'en arrivai à comprendre le suicide, à l'excuser.

Ceci n'a pas besoin de commentaires.

Que de fois, tristement assis sur un banc des Tuileries, je me laissai aller peu à peu sur cette pente terriblement rapide d'où l'on ne revient, hélas ! qu'épouvanté, abattu, moralement défait.

Oh ! combien à cette heure j'enviais le sommeil de la tombe, ce dernier refuge de l'humaine nature. Pourquoi donc, Seigneur, avoir prolongé jusqu'à ce jour une existence inutile à tous et si écrasante pour moi ? C'est là un des mystères qu'il n'appartient pas à l'homme de sonder.

À charge aux autres et à moi-même, sans nulle

affection, sans aucune de ces perspectives qui, du moins, viennent illuminer parfois d'un rayon doux et pur le front soucieux de celui qui souffre. Mais non, rien. Toujours l'abandon, la solitude, le mépris outrageant.

Peu de jours auparavant, poussé à bout, j'avais dû recourir à ma pauvre et bonne mère.

Comprend-on bien tout ce qu'il y a de pénible dans cette démarche d'un fils qui sait de quelles privations ce secours va être la source !

Ainsi, non-seulement je me voyais impuissant à rendre plus heureux les derniers jours de celle à qui je devais tant ; mais encore il me fallait diminuer ses ressources déjà si insuffisantes.

Je puis bien affirmer que cette extrémité est la plus dure à laquelle je pusse être condamné.

Je vais parler ici d'une résolution fatale que m'inspira le découragement profond de ces derniers jours. Je rencontrai un matin, devant les Tuileries, un homme que je croyais encore au fond de la Bretagne, où je l'avais connu quelques années auparavant, agent d'une importante compagnie maritime.

Je le laissai passer sans lui parler, car lui ne m'avait pas reconnu. Plus tard, en réfléchissant à l'étrangeté de cette rencontre, je crus y voir une assurance de bonheur pour un nouvel avenir.

Le bon souvenir que j'avais gardé de ses relations m'était une garantie de sa bonne volonté pour la circonstance actuelle.

Dès le surlendemain, j'allais lui faire une visite à l'administration centrale de la compagnie, et je ne lui cachai rien des difficultés de ma situation. Il s'y intéressa, je dois l'avouer. Son accueil fut même plus affectueux que je ne l'avais espéré.

Je lui demandai tout simplement de me faire embarquer à bord d'un paquebot, comme garçon de salle. Ma proposition l'étonna fort.

Il eût voulu faire mieux pour moi.

D'un autre côté, il me signalait des impossibilités matérielles à l'exécution de mon projet.

D'abord la compagnie ne voulait admettre en cette qualité que des gens ayant déjà l'habitude de la navigation. « Ensuite, me disait-il, je ne puis pas croire que vous, avec le genre de vie que vous avez mené, soyez propre à faire un pareil service. Si vous le voulez absolument, je suis tout disposé à vous y aider. Peut-être même me sera-t-il possible d'adoucir votre situation à bord, en vous recommandant à l'un de mes amis, commissaire de l'*Europe*. »

J'acceptai sans hésitation. « Eh bien ! me dit-il, je verrai le directeur. Mais il serait bon que vous me donnassiez pour lui une recommandation, d'un député, par exemple. »

Je revins le lendemain avec une lettre que j'obtins sans peine d'un député de mon département, M. de V...

Au point où en étaient les choses, il n'y avait plus à reculer. Je le sentais bien. Je m'étais engagé si vite pour n'avoir plus à retourner en arrière.

Toutes ces démarches étaient faites que je n'avais encore consulté personne, ni ma mère, ni mes amis, ne voulant les prévenir qu'au moment de mon départ. On m'en eût certainement détourné si l'on avait su à quel titre je partais. On ne l'a jamais su.

Je devais avoir une réponse assez prompte, l'*Europe* venant d'arriver au Havre.

Sur ces entrefaites, je reçois l'avis de me rendre le jour même à la compagnie de..., pour y reprendre mon poste. Cette lettre, qui aurait dû me réjouir, me consterna. Je me trouvais dans un étrange embarras. Que faire ? C'était bien simple, et je n'avais pas deux voies à prendre. Consulter mon excellent protecteur, lui avouer franchement tout ce que j'avais fait et suivre son avis. Je ne le fis pas.

Chez moi, malheureusement, le premier mouvement est rarement le bon. La précipitation ne me conduit à rien de bien. Cette circonstance en est une nouvelle preuve. Je me décidai à garder le silence et à laisser marcher les événements.

Comme mon départ pour les États-Unis pouvait n'avoir lieu que dans un mois, rien ne m'empêchait de reprendre provisoirement le poste qui m'était offert. C'est ce que je fis en effet.

Le motif qui avait décidé de mon rappel était de nature à me faire espérer que ce serait pour un assez long temps. On me le donna bientôt à entendre. Je rejetai loin de moi cette perspective pour m'attacher davantage au projet imprudent dont j'attendais la réalisation.

Un mois se passa de la sorte.

À mesure que la solution approchait, j'éprouvais de secrètes angoisses. J'étais si heureux dans le présent. Pourquoi aller me jeter dans un avenir au moins incertain ? Uniquement parce que je me croyais engagé. Belle raison quand il s'agit d'intérêts sérieux.

À cette crainte s'ajoutait l'ennui d'avoir à abandonner des gens, jusque-là si bons pour moi. Cette idée m'était poignante, douloureuse. D'un mot je pouvais encore faire cesser ces cruelles agitations en renonçant résolûment à ce que je croyais sottement de mon devoir de ne pas refuser. Il y avait dans cette maudite obstination une question d'amour-propre, assurément bien mal placé. Je ne voulais pas faiblir devant une détermination prise énergiquement d'abord, il est vrai, mais sous l'empire du découragement. Le sort en était jeté. Je le subis.

Le commissaire de l'*Europe* répondit à son ami qu'il me prenait à son bord, mais simplement comme garçon de salle, les règlements s'opposant à ce que je fusse employé, même par intervalles, aux écritures du bord. Cette lettre était froide, significative, et me replongeait dans l'indécision : M. M... lui-même ne me pressait pas d'accepter. Il était attristé, me disait-il, de me voir partir à ces conditions, tout en me flattant de l'espoir que ma position pût s'améliorer dans la suite, et qu'il m'y aiderait de tout son pouvoir.

Je me fortifiai entièrement contre ce que je taxais de faiblesse, et le cœur serré comme par un pressentiment, je prononçai en tremblant ma dernière parole d'adhésion. C'était le jeudi, mon départ fut décidé pour le lundi suivant.

J'écrivis immédiatement à ma mère pour le lui annoncer, me gardant bien toutefois de lui faire connaître quelles fonctions j'allais désormais remplir. Elle ne s'en fût pas consolée.

L'idée de ce voyage lui était déjà trop pénible pour que j'allasse en aggraver la tristesse par un pareil aveu.

On comprend que vis-à-vis de mes protecteurs je gardai la même réserve.

Il était trop tard pour me conseiller ou pour m'adresser des reproches. On me laissa faire, croyant que j'avais été sollicité par l'appât d'une position avantageuse. Je leur laissai cette conviction qui, jusqu'à un certain point, pouvait excuser ma conduite.

Quel étrange aveuglement me fit soutenir jusqu'au

bout ce rôle absurde ? Je ne saurais me l'expliquer. Peut-être cette soif de l'inconnu, si naturelle à l'homme.

. . . . . . . . . . . . . . . . . . . . . . . . . . . . . . . . . .

*Au mois de février 1868, on a retrouvé dans une chambre du quartier de l'Odéon le cadavre d'Abel Barbin qui s'était suicidé avec un réchaud à charbon. Il avait laissé le manuscrit du texte qui précède.* (M.F.)

*Dossier*

*Je me suis contenté de réunir quelques-uns des documents principaux qui concernent Adélaïde Herculine Barbin. La question des étranges destinées, qui sont semblables à la sienne et qui ont posé tant de problèmes à la médecine et au droit surtout depuis le XVIe siècle, sera traitée dans un volume de l'*Histoire de la sexualité *consacré aux hermaphrodites. On ne trouvera pas ici, comme cela avait été le cas pour Pierre Rivière, une documentation exhaustive.*

*1. Manque, d'abord et surtout, une partie des souvenirs d'Alexina. Tardieu semble avoir reçu le manuscrit complet des mains du médecin, le docteur Régnier, qui avait fait le constat de décès et pratiqué l'autopsie. Il l'a gardé, ne publiant que la partie qui lui paraissait importante. Il a négligé les souvenirs des dernières années d'Alexina — tout ce qui, selon lui, n'était que plainte, récriminations et incohérences. Malgré les recherches, il n'a pas été possible de retrouver le manuscrit que A. Tardieu a eu entre les mains. Le texte que voici reproduit donc ce qui a été publié par Tardieu en seconde partie de son ouvrage* La Question de l'identité[1].

1. *Question médico-légale de l'identité dans ses rapports avec les vices de*

*2. Dans les Archives du département de la Charente-Maritime, il existe quelques documents (plusieurs émanant de l'Inspection d'Académie) où le nom d'Adélaïde Barbin est mentionné. Il m'a paru suffisant de publier les plus significatifs.*

*3. La littérature médicale de la fin du XIXᵉ siècle et du début du XXᵉ se réfère assez souvent à Alexina. J'ai laissé de côté ce qui était simples citations empruntées au texte publié par Tardieu. Je n'ai reproduit que les rapports originaux.*

*4. On sait combien fut abondante dans les dernières années du siècle la littérature « médico-libertine ». Les observations cliniques servaient parfois d'inspiration. L'histoire d'Alexina se déchiffre facilement dans toute une partie de l'étrange roman qui porte le titre de* L'Hermaphrodite *et qui fut publié sous la signature de Dubarry en 1899.*

---

conformation des organes sexuels (Paris, 1874). La première partie du volume avait paru dans les *Annales d'hygiène publique* en 1872.

## Noms, dates et lieux

Adélaïde Herculine Barbin est née le 8 novembre 1838 à Saint-Jean-d'Angély. Elle était appelée couramment Alexina. Le prénom de Camille semble avoir été une convention inventée soit par Tardieu, quand il publia les souvenirs d'Alexina, soit plus vraisemblablement par elle-même, ce qui laisse supposer qu'elle songeait à des lecteurs éventuels.

Certains autres sigles peuvent être plus ou moins facilement déchiffrés.

### 1838-1853

Enfance à L..., c'est-à-dire Saint-Jean-d'Angély (soit par inadvertance, soit par une erreur de lecture sur le manuscrit, Saint-Jean-d'Angély est désigné par la lettre S... aux pages 110 et 112).

De 1845 à 1853 elle séjourne d'abord à l'hôpital, puis au couvent des Ursulines de Chavagnes.

### 1853-1856

Séjour à B..., qui est La Rochelle.

## 1856-1858

Séjour à l'école normale d'Oléron, qui était tenue par l'ordre des filles de la Sagesse. Elle était située à D..., qui est le Château. La directrice, qu'Alexina appelle sœur Marie-des-Anges, portait le nom de sœur Marie-Augustine.

Le but de la promenade à T... racontée aux pages 56-61 était Saint-Trojan.

## 1858-1860

Institutrice à L... L'identification de chef-lieu de canton « à la limite du département » n'a pas été possible.

## 1860

Retour à La Rochelle.

L'évêque auquel Alexina a rendu visite était M^gr J.-F. Landriot. Sacré évêque de La Rochelle le 20 juillet 1856, il devint par la suite archevêque de Reims.

Le préfet était J.-B. Boffinton, installé le 24 décembre 1856.

Le médecin de La Rochelle qui fit le premier rapport était le docteur Chesnet. Son rapport, publié en 1860 dans les *Annales d'hygiène publique*, est reproduit ici aux pages 147-150.

Le président du tribunal de Saint-Jean-d'Angély, qui décida, le 22 juillet 1860, le changement d'état civil, s'appelait M. de Bonnegens.

# Rapports

Dans sa *Question médico-légale de l'identité dans les rapports avec les vices de conformation des organes sexuels*, A. Tardieu présente ainsi les souvenirs d'Alexina B. :

Le fait extraordinaire qui me reste à rapporter fournit en effet l'exemple le plus cruel et le plus douloureux des conséquences fatales que peut entraîner une erreur commise dès la naissance dans la constitution de l'état civil. On va voir la victime d'une semblable erreur, après vingt ans passés sous les habits d'un sexe qui n'est pas le sien, aux prises avec une passion qui s'ignore elle-même, avertie enfin par l'explosion de ses sens, puis rendue à son véritable sexe en même temps qu'au sentiment réel de son infirmité physique, prenant la vie en dégoût et y mettant fin par le suicide.

Ce pauvre malheureux, élevé dans un couvent et dans des pensionnats de jeunes filles jusqu'à l'âge de vingt-deux ans, admis aux examens et pourvu du diplôme d'institutrice, vit à la suite des circonstances les plus dramatiques et les plus émouvantes son état civil réformé par un jugement du tribunal de La Rochelle[1], et ne put supporter l'existence misérable que son nouveau sexe incomplet lui imposa. Certes, dans ce cas,

---

1. C'est une erreur. La décision de réforme de l'acte d'état civil a été prise, en fait, par le tribunal civil de Saint-Jean-d'Angély. Cf. *infra*, p. 171. *(M.F.)*

les apparences du sexe féminin ont été poussées bien loin, et cependant la science et la justice furent contraintes de reconnaître l'erreur et de rendre ce jeune homme à son sexe véritable.

Les combats et les agitations auxquels a été en proie cet être infortuné, il les a dépeints lui-même dans des pages qu'aucune fiction romanesque ne surpasse en intérêt. Il est difficile de lire une histoire plus navrante, racontée avec un accent plus vrai, et alors même que son récit ne porterait pas en lui une vérité saisissante, nous avons, dans des pièces authentiques et officielles que j'y joindrai, la preuve qu'il est de la plus parfaite exactitude.

Je n'hésite pas à le publier presque en entier, ne voulant pas laisser perdre le double et précieux enseignement qu'il renferme, d'une part au point de vue de l'influence qu'exerce sur les facultés affectives et sur les dispositions morales la malformation des organes sexuels, d'une autre part au point de vue de la gravité des conséquences individuelles et sociales que peut avoir une constatation erronée du sexe de l'enfant qui vient de naître.

# CHESNET

*Question d'identité ;*
*vice de conformation des organes génitaux externes ;*
*hypospadias ; erreur sur le sexe*[1]

« Je soussigné, docteur en médecine, demeurant à La Rochelle, département de la Charente-Inférieure, expose à qui de droit ce qui suit :

« Un enfant, né des époux B..., à Saint-Jean d'Angely, le 8 novembre 1838, fut déclaré à l'état civil comme une fille, et quoique inscrite sous les noms d'Adélaïde-Herculine, ses parents prirent l'habitude de l'appeler Alexina, nom qu'elle a continué à porter jusqu'à ce moment. Placée dans les écoles de jeunes filles, et plus tard à l'École normale du département de la Charente-Inférieure, Alexina a obtenu il y a deux ans un brevet d'institutrice, et en exerce les fonctions dans un pensionnat.

« S'étant plainte de douleurs vives qu'elle éprouvait dans l'aine gauche, on se décida à la soumettre à la visite d'un médecin qui ne put retenir, à la vue des organes génitaux, l'expression de sa surprise. Il fit part de ses observations à la maîtresse du pensionnat, qui chercha à tranquilliser Alexina en lui disant que ce qu'elle éprouvait tenait à son organisation, et qu'il n'y avait point à s'en inquiéter.

« Alexina, toutefois préoccupée d'une sorte de mystère dont elle entrevoyait qu'elle était l'objet et de quelques paroles échappées au médecin pendant la visite, commença à porter sur elle-même plus d'attention qu'elle ne l'avait encore fait. En rapport

---

1. *Annales d'hygiène publique et de médecine légale*, 1860, t. XIV, pp. 170 sqq.

tous les jours avec des jeunes filles de quinze à seize ans, elle éprouvait des émotions dont elle avait peine à se défendre. Plus d'une fois, la nuit, ses rêves étaient accompagnés de sensations indéfinissables, elle se sentait mouillée et trouvait le matin sur son linge des taches grisâtres et comme empesées. Surprise autant qu'alarmée, Alexina confia l'état si nouveau de son âme à un ecclésiastique qui, non moins étonné sans doute, l'engagea à profiter d'un voyage qu'elle devait faire à R... où demeure sa mère pour consulter Monseigneur. Elle se présenta en effet à l'évêché, et, à la suite de cette visite, je fus chargé d'examiner avec soin Alexina et de donner mon avis sur son véritable sexe. De cet examen résultent les faits suivants :

« Alexina, qui est dans sa vingt-deuxième année, est brune, sa taille est de 1 mètre 59 centimètres. Les traits du visage n'ont rien de bien caractérisé et restent indécis entre ceux de l'homme et ceux de la femme. La voix est habituellement celle d'une femme, mais parfois dans la conversation ou dans la toux, il s'y mêle des sons graves et masculins. Un léger duvet recouvre la lèvre supérieure ; quelques poils de barbe se remarquent sur les joues, surtout à gauche. La poitrine est celle d'un homme ; elle est plate et sans apparence de mamelles. Les règles n'ont jamais paru, au grand désespoir de sa mère et d'un médecin qu'elle a consulté, et qui a vu toute son habileté rester impuissante à faire apparaître cet écoulement périodique. Les membres supérieurs n'ont rien des formes arrondies qui caractérisent ceux des femmes bien faites ; ils sont très-bruns et légèrement velus. Le bassin, les hanches sont ceux d'un homme.

« La région sus-pubienne est garnie d'un poil noir des plus abondants. Si l'on écarte les cuisses, on aperçoit une fente longitudinale, s'étendant de l'éminence sus-pubienne aux environs de l'anus. À la partie supérieure, se trouve un corps péniforme, long de 4 à 5 centimètres de son point d'insertion à son extrémité libre, laquelle a la forme d'un gland recouvert d'un prépuce légèrement aplati en dessous et imperforé. Ce petit membre, aussi éloigné par ses dimensions du clitoris que de la verge dans l'état normal, peut, au dire d'Alexina, se gonfler, se durcir et s'allonger. Toutefois, l'érection proprement dite doit être fort limitée, cette verge imparfaite se trouvant retenue inférieurement par une sorte de bride qui ne laisse libre que le gland.

« Les grandes lèvres apparentes que l'on remarque de chaque côté de la fente sont très-saillantes, surtout à droite, et recouvertes de poils ; elles ne sont en réalité que les deux moitiés d'un scrotum resté divisé. On y sent manifestement en effet, en les palpant, un corps ovoïde suspendu au cordon des vaisseaux spermatiques ; le corps, un peu moins développé que chez l'homme adulte, ne nous paraît pas pouvoir être autre chose que le testicule. À droite, il est tout à fait descendu ; à gauche, il est resté plus haut ; mais il est mobile et descend plus ou moins quand on le presse. Ces deux corps globuleux sont très-sensibles à la pression quand elle est un peu forte. C'est selon toute apparence le passage tardif du testicule à travers l'anneau inguinal qui a causé les vives douleurs dont se plaignait Alexina, et rendu nécessaire la visite d'un médecin, qui, apprenant qu'Alexina n'avait jamais eu ses règles, s'écria : "Je le crois bien, elle ne les aura jamais."

« À un centimètre au-dessous de la verge se trouve l'ouverture d'un urèthre tout féminin. J'y ai introduit une sonde et laissé couler une petite quantité d'urine. La sonde retirée, j'ai engagé Alexina à uriner en ma présence, ce qu'elle a fait d'un jet vigoureux, dirigé horizontalement à la sortie du canal. Il est bien probable que le sperme doit également être lancé à distance.

« Plus bas que l'urèthre et à 2 centimètres environ plus bas que l'anus, se trouve l'orifice d'un canal très-étroit, où j'aurais pu peut-être faire pénétrer l'extrémité de mon petit doigt, si Alexina ne se fût retirée, et n'eût paru en éprouver de la douleur. J'y introduisis ma sonde de femme, et reconnus que ce canal avait à peu près 5 centimètres de long et se terminait en cul-de-sac. Mon doigt indicateur introduit dans l'anus a senti le bec de la sonde à travers les parois qu'on peut appeler recto-vaginales.

« Ce canal est donc une sorte d'ébauche du vagin, au fond duquel on ne trouve aucun vestige de col utérin. Mon doigt, porté très-haut dans le rectum, n'a pu, à travers les parois de l'intestin, rencontrer la matrice. Les fesses et les cuisses, à leur partie postérieure, sont couvertes d'une abondance de poils noirs, comme chez l'homme le plus velu. Des faits ci-dessus que conclurons-nous ? Alexina est-elle une femme ? Elle a une vulve, des grandes lèvres, un urèthre féminin, indépendant d'une sorte de pénis imperforé, ne serait-ce pas un clitoris monstrueusement développé ? Il existe un vagin, bien court à la vérité, bien étroit, mais enfin qu'est-ce si ce n'est un vagin ? Ce sont là des attributs tout féminins : oui, mais Alexina n'a jamais été réglée ; tout l'extérieur du corps est celui d'un homme, mes explorations n'ont pu me faire trouver la matrice. Ses goûts, ses penchants, l'attirent vers les femmes. La nuit, des sensations voluptueuses sont suivies d'un écoulement spermatique, son linge en est taché et empesé. Pour tout dire enfin, des corps ovoïdes, un cordon des vaisseaux spermatiques se trouvent au toucher dans un scrotum divisé. Voilà les vrais témoins du sexe ; nous pouvons à présent conclure et dire : Alexina est un homme, hermaphrodite sans doute, mais avec prédominance évidente du sexe masculin. Son histoire est pour les parties essentielles la reproduction presque complète d'un fait raconté par M. Marc dans le *Dictionnaire des sciences médicales*, à l'article HERMAPHRODITE, et cité également par Orphée dans le premier volume de sa *Médecine légale*. Marguerite-Marie dont parlent ces auteurs a sollicité et obtenu du tribunal de Dreux la rectification de son sexe sur les registres de l'état civil. »

É. GOUJON

*Étude d'un cas d'hermaphrodisme*
*imparfait chez l'homme*[1]

## INDICATIONS PRÉLIMINAIRES

Dans le courant du mois de février 1868, un jeune homme, employé dans une administration de chemin de fer, se donnait volontairement la mort par asphyxie carbonique dans une chambre plus que modeste, située au cinquième étage d'une maison de la rue de l'École-de-Médecine. M. Régnier, médecin de l'état civil, et le commissaire de police du quartier, prévenus de ce fait, se rendirent au domicile de ce malheureux, et trouvèrent sur une table une lettre laissée par lui, dans laquelle il disait s'être donné la mort pour échapper à des souffrances qui l'obsédaient constamment. Ces messieurs, d'après l'aspect extérieur du cadavre et les renseignements qu'ils recueillirent de la concierge de la maison qui voyait tous les jours ce jeune homme, ne soupçonnant rien qui pût expliquer les souffrances auxquelles il faisait allusion, eurent l'idée d'examiner les organes génitaux, supposant qu'il pouvait être atteint d'une affection syphilitique, qui, comme on le sait, plonge souvent les individus qui en sont atteints dans un profond marasme et un grand abattement moral qui, très-souvent, pousse au suicide certains sujets déjà naturellement mélancoliques.

1. *Journal de l'anatomie et de la physiologie de l'homme*, 1869, pp. 609-639.

M. Régnier, à cet examen, vit de suite une anomalie très-grande des organes génitaux externes et reconnut un cas d'hermaphrodisme masculin des mieux caractérisés. En effet, il est difficile, comme on le verra par la suite, de rencontrer un mélange des deux sexes porté plus loin, pour tout ce qui a trait aux organes génitaux externes. Je fus prévenu de ce fait par le docteur Duplomb, qui, aussi bien que moi, regrettait que cette observation fût perdue pour la science, et nous priâmes ensemble M. Régnier d'user de toute son influence auprès du commissaire de police pour qu'on me permît de faire l'autopsie et d'enlever les différentes parties sur lesquelles portait l'anomalie. Cette autorisation me fut accordée à condition qu'il me serait adjoint un médecin ayant une position officielle ; on prévint alors M. Houel, agrégé de la Faculté, que je dois remercier ainsi que le docteur Régnier, du désintéressement avec lequel ils m'abandonnèrent complétement l'étude de ce cas remarquable.

L'observation que je rapporte est assurément une des plus complètes que la science possède dans ce genre, puisque l'individu qui en est l'objet a pu être suivi pour ainsi dire de sa naissance jusqu'à sa mort, et que l'examen de son cadavre aussi bien que l'autopsie ont pu être faits avec tout le soin désirable. Cette observation est surtout complète par ce fait exceptionnel, que le sujet qui est en cause a pris soin de nous laisser de longs mémoires, par lesquels il nous initie à tous les détails de sa vie et à toutes les impressions qui se sont produites chez lui aux différentes périodes de son développement physique et intellectuel. Ces mémoires ont[1] d'autant plus de valeur qu'ils émanent d'un individu doué d'une certaine instruction (il avait un brevet d'institutrice et avait été reçu le premier au concours de l'École normale pour l'obtention de ce diplôme), et faisant des efforts pour se rendre compte des différentes impressions qu'il éprouve.

La situation de cet individu n'est pas sans exemple. On trouve en effet, dans Geoffroy Saint-Hilaire, des observations qui ont une grande analogie avec celle que je rapporte[2]. L'hermaphro-

---

1. M. le professeur Tardieu étant devenu possesseur de ces mémoires, avec son obligeance habituelle, a bien voulu me les communiquer.
2. Voyez I. Geoffroy Saint-Hilaire, *Histoire des anomalies de l'organisation*, Paris, 1836, in-8°, t. II, pp. 30 et suivantes, et atlas, pl. IV.

dite qui nous occupe fut inscrit sur les registres de l'état civil comme appartenant au sexe féminin ; il fut élevé avec des jeunes filles, au milieu desquelles il passa son enfance et son adolescence. Des modifications physiques qui se produisirent plus tard le forcèrent à demander une rectification de l'état civil, qui, définitivement, le rendit à son sexe, qui était masculin, bien que par un examen superficiel des organes génitaux externes on fût plus disposé à le ranger parmi les femmes : voici du reste un passage de ses mémoires où il énumère rapidement ses différentes positions : « De mon arrivée à Paris date une nouvelle phase de ma double et bizarre existence.

« Élevé pendant vingt ans au milieu de jeunes filles, je fus d'abord et pendant deux années au plus femme de chambre ; à seize ans et demi j'entrai en qualité d'élève maîtresse à l'École normale de... ; à dix-neuf ans j'obtins mon brevet d'institutrice ; quelques mois après je dirigeais un pensionnat assez renommé dans l'arrondissement de... ; j'en sortais à vingt et un ans, c'était au mois d'avril ; à la fin de la même année, j'étais à Paris au chemin de fer de... »

L'autopsie qu'on a pu faire a permis de rectifier le premier jugement qui avait été porté sur son sexe pendant la plus grande partie de sa vie, et de confirmer l'exactitude du diagnostic qui l'avait en dernier lieu remis à sa véritable place dans la société.

D'après l'énoncé qui précède, on voit que le cas présent soulève plusieurs questions physiologiques et médico-légales. La conformation des organes génitaux externes de cet individu lui permettait, bien qu'il fût manifestement un homme, de jouer dans le coït indistinctement le rôle de l'homme ou de la femme ; mais il était stérile dans l'un et l'autre cas. Il pouvait jouer le rôle de l'homme dans cet acte, à la faveur d'un pénis imperforé susceptible d'érection, et atteignant alors le volume de la verge de certains individus régulièrement conformés.

Comme on le verra plus loin par sa description, cet organe était plutôt un clitoris volumineux qu'un pénis ; on voit en effet quelquefois, chez la femme, le clitoris atteindre le volume du doigt indicateur. L'érection pouvait être accompagnée d'éjaculation et de sensations voluptueuses, comme il nous l'apprend dans ses mémoires. Cette éjaculation ne se faisait point par le pénis, qui était imperforé comme je l'ai dit plus haut. Un vagin finissant en cul-de-sac et dans lequel on pouvait entrer sans résistance le doigt indicateur, lui permettait de jouer également le rôle de la femme dans l'acte du coït. À ce vagin, situé comme il l'est ordinairement chez la femme, étaient annexées des glandes vulvo-vaginales s'ouvrant de chaque côté de la vulve et à côté de l'ouverture de deux autres petits conduits servant à l'émission ou éjaculation du sperme.

J'avais fait la description anatomique du sujet qui nous occupe, lorsque j'appris de M. le professeur Tardieu que ce malheureux avait été l'objet d'un rapport médico-légal d'un médecin distingué de La Rochelle, au moment où le tribunal avait eu à prononcer le jugement qui devait modifier son état civil et le rendre à son véritable sexe. Ce rapport étant très-exact et très-bien fait, je le rapporte en entier, et j'aurai peu de choses à y ajouter pour tout ce qui a trait aux organes génitaux externes, si ce n'est pourtant quelques modifications survenues pendant le temps qui a séparé les deux examens. Voici ce rapport[1].

Au moment où je procède à l'examen du cadavre, le rapport qu'on vient de lire a été fait depuis huit ans, et l'individu qui en est l'objet est dans sa trentième année. Voici l'état que présente alors ce malheureux, qui se trouve dans un misérable réduit, comme il en existe encore malheureusement beaucoup à Paris, et que les progrès incessants de l'hygiène feront peut-être disparaître. Un mauvais grabat, une petite table et une chaise forment tout l'ameublement de ce lieu, où quatre personnes peuvent tenir à peine. Un petit fourneau de terre, dans lequel il ne reste que de la cendre, se trouve dans un coin à côté d'un chiffon qui contient du charbon de bois. Sur le lit, le cadavre est placé sur le dos, en partie habillé ; sa face est cyanosée, et un écoulement de sang noir et spumeux se fait par la bouche. La taille est la même que celle notée dans le rapport de M. Chesnet ; les cheveux sont noirs, assez abondants et fins ; la barbe est également noire, mais n'est pas très-abondante sur les parties latérales de la face ; elle est bien plus épaisse au menton et à la lèvre supérieure. Le col est grêle et assez long, et le larynx fait peu saillie en avant. La voix, d'après les renseignements recueillis auprès des personnes

---

1. Goujon cite ici le rapport de Chesnet, reproduit p. 147. *(M. F.)*

qui le voyaient, n'était pas fortement timbrée. La poitrine a les dimensions ordinaires et la conformation de celle d'un homme de cette taille, et l'on n'y rencontre pas de poils, si ce n'est au pourtour des mamelons qui sont noirs et peu saillants ; quant aux mamelles, il n'en existe pas plus que chez un homme de cet embonpoint.

Les membres inférieurs et supérieurs sont recouverts de poils noirs très-fins et les saillies musculaires sont plus accusées qu'elles ne le sont chez la femme. Les genoux ne sont point inclinés l'un vers l'autre ; le pied et la main sont petits ; le bassin n'est pas plus développé qu'il ne doit l'être chez un homme.

### ÉTAT DES ORGANES GÉNITAUX EXTERNES

Sur le pénis, qui est proéminent, sont répandus abondamment des poils noirs, longs et frisés, qui couvrent également le périnée et les parties qui simulent les grandes lèvres et bordent complètement l'anus ; disposition qui manque généralement chez la femme. À la place qu'il occupe normalement, se voit un pénis régulièrement inséré, long de 5 centimètres, et de 2 centimètres 1/2 de diamètre à l'état de flaccidité. Cet organe se termine par un gland imperforé, aplati latéralement et complètement découvert du prépuce qui forme une couronne à sa racine. Ce pénis, qui ne dépasse pas en volume le clitoris de certaines femmes, est légèrement recourbé en bas, retenu qu'il est dans cette position par la partie inférieure du prépuce qui va se confondre et se perdre dans les replis de la peau qui forment les grandes et les petites lèvres.

Un peu au-dessous du pénis et dans la situation qu'il a chez la femme, se trouve un urèthre analogue à celui de cette dernière. Il est facile d'y introduire une sonde et d'arriver dans la vessie que nous avons vidée de la sorte. Plus bas que l'urèthre, se voit l'orifice du vagin, et au moment où nous faisons cet examen, il se fait un léger écoulement de sang par la vulve ; M. le docteur Régnier, qui le constate également, croit qu'il est occasionné par l'introduction du doigt plusieurs fois répétée à ce moment.

C'est en effet la seule explication qui convienne à ce phénomène ; le sujet dont il est question, comme on l'a vu plus haut,
n'a jamais eu d'écoulements de sang périodiques par la vulve,
et l'examen des organes internes en donne très-bien l'explication. On introduit facilement le doigt indicateur dans toute la
longueur du vagin ; mais on ne sent rien au bout du doigt, qui
rappelle la conformation d'un col utérin ; on a au contraire la
sensation d'un cul-de-sac.

La longueur de ce vagin est de 6 centimètres et demi ; sur ses
parties latérales, et dans toute sa longueur, on sent au toucher
deux petits cordons durs, placés au-dessous de la muqueuse,
et qui sont, comme nous le verrons plus loin, les conduits éjaculateurs qui viennent s'ouvrir à l'orifice vulvaire et chacun
d'un côté. La muqueuse vaginale est lisse et très-injectée, et
se trouve recouverte dans toute son étendue d'un épithélium
pavimenteux, qui est celui qui tapisse le vagin de la femme. On
constate l'existence de petits follicules dans l'épaisseur de cette
muqueuse. Près de l'orifice vulvaire se trouvent quelques replis
circulaires de la muqueuse, mais ils ne rappellent pas par leur
disposition l'existence de l'hymen. Dans l'espace compris entre
les replis du prépuce qui retiennent le gland dirigé en bas, et
l'orifice vulvaire, on trouve un assez grand nombre de petits
orifices, de canaux excréteurs de glandes situées au-dessous,
et en comprimant légèrement la peau de cette région, on fait
sortir par ces petits trous une matière gélatineuse, incolore, et
qui n'est autre que du mucus concret.

L'anus est situé à 3 centimètres et demi de la vulve et ne présente rien d'anormal. De chaque côté de l'organe érectile (pénis
ou clitoris), et formant une véritable gouttière dans laquelle se
trouve ce dernier, il existe deux replis volumineux de la peau
qui sont les deux lobes d'un scrotum resté divisé. Le lobe droit,
beaucoup plus volumineux que le gauche, contient manifestement un testicule d'un volume normal, et dont il est facile
de percevoir au travers de la peau le cordon jusqu'à l'anneau.
Le testicule gauche n'était pas complétement descendu, une
grande partie était encore engagée dans l'anneau.

### EXAMEN DES ORGANES INTERNES

À l'ouverture du cadavre, on voit que l'épididyme seulement du testicule gauche avait franchi l'anneau ; il est plus petit que le droit ; les canaux déférents se rapprochent en arrière et en bas de la vessie. Ils ont des rapports normaux avec les vésicules séminales, d'où partent les deux canaux éjaculateurs qui font saillie et rampent sous la muqueuse vaginale de chaque côté jusqu'à l'orifice vulvaire. Les vésicules séminales, dont la droite est un peu plus volumineuse que la gauche, sont distendues par du sperme qui a la consistance et la couleur normale. L'examen microscopique de ce liquide n'y montre pas de spermatozoïdes, qu'il soit pris dans les vésicules ou dans les testicules. On voit pourtant dans le testicule qui avait franchi l'anneau et la vésicule correspondante, des corps arrondis volumineux, qui rappellent les cellules mères des spermatozoïdes ou ovules mâles de M. Robin. Il est facile de dérouler les tubes testiculaires pour l'un et l'autre testicule, et le microscope ne montre rien d'anormal pour celui du côté droit ; mais pour celui de gauche, qui était en partie dans l'abdomen, les tubes sont graisseux et le parenchyme du testicule a une teinte jaunâtre que n'a pas l'autre.

Une petite canule étant placée dans chacune des vésicules séminales, je pousse une injection de lait pour m'assurer de la direction des conduits éjaculateurs ; ce lait vient sortir par jets à l'orifice de la vulve et de chaque côté comme je l'ai dit plus haut. La vessie, régulièrement située, est volumineuse ; distendue par une injection d'eau, elle remonte au-dessus du pubis. Rien ne rappelle par la forme la présence d'un utérus et des ovaires. On trouve seulement, bien au-dessus du cul-de-sac qui forme le vagin, un plan fibreux épais, sur lequel sont accolées les vésicules séminales, qui remonte très-haut derrière la vessie et retient de chaque côté le vagin fixé, en rappelant jusqu'à un certain point la forme des ligaments larges ; mais la dissection la plus attentive ne permet d'établir aucune assimilation avec un utérus ou des ovaires. Il fut du reste impossible de découvrir aucun orifice au fond du vagin ; il finissait complètement en cul-de-sac.

Le péritoine avait ses rapports normaux avec la vessie et il passait beaucoup au-dessus du cul-de-sac vaginal dont il était loin de toucher le fond.

On constate facilement à la dissection la présence de deux glandes vulvo-vaginales qui ont le siège et le volume qu'elles ont ordinairement, et leur petit conduit excréteur qui vient s'ouvrir un peu au-dessous des canaux éjaculateurs du sperme ; en comprimant ces glandes, on fait sortir une assez grande quantité d'un liquide visqueux.

Sur l'urèthre et au voisinage du col de la vessie se trouvait également une petite glande, qui était assurément une prostate peu développée.

### DISCUSSION DES FAITS PRÉCÉDENTS

Bien qu'il paraisse extraordinaire qu'une méprise sur le sexe d'un individu puisse se prolonger pendant un temps aussi long, la science n'en possède pas moins un assez grand nombre d'exemples, dont quelques-uns ont la plus grande analogie avec celui qui nous occupe. Il est vrai de dire que la plupart de ces cas n'avaient pas été l'objet d'un examen attentif de la part de médecins, et que c'est le plus souvent une circonstance fortuite qui venait donner la démonstration physiologique du véritable sexe. On se souvient du cas « cité à propos d'un mémoire de Geoffroy Saint-Hilaire, d'un moine hermaphrodite, considéré comme homme, et qui, malgré ses vœux de chasteté, révéla en accouchant que son sexe n'était pas le même que celui de ses compagnons de cloître ». (L. Le Fort, *Vices de conformation des organes génitaux.*)

Schweikhard rapporte également l'histoire d'un individu inscrit comme fille et considéré comme telle jusqu'au moment où il demanda à épouser une fille devenue enceinte de ses œuvres. — Chez cet individu, le gland était imperforé et l'urèthre s'ouvrait au-dessous de lui ; l'urine suivait en sortant la direction horizontale de la verge. L'auteur ne dit point dans ce cas s'il avait constaté le lieu d'émission du sperme.

Louis Casper, dans un travail analysé par Martini, raconte

que « sur la plainte d'une femme enceinte, qui accusait une sage-femme de lui avoir fait violence, et d'avoir exercé sur elle le coït, la sage-femme fut examinée. Il fut constaté que le clitoris, quoique plus développé qu'à l'ordinaire, n'avait pas les dimensions suffisantes pour exercer le coït ; que le vagin était tellement étroit qu'on ne pouvait y introduire que l'extrémité du petit doigt, et qu'il existait sur l'un des côtés une petite tumeur qui faisait supposer l'existence d'un testicule ».

Il serait facile de multiplier les exemples de ce genre, et il serait même profitable à la science que tous les documents qu'elle possède sur cette question fussent réunis dans un travail d'ensemble, qui deviendrait un guide précieux pour les médecins qui doivent être appelés à donner leur avis et prononcer un jugement sur ceux qui sont atteints de ce genre d'anomalie. Il ressortirait facilement de ce travail, d'après les observations que nous possédons, que s'il est difficile quelquefois et même impossible à la naissance de reconnaître le véritable sexe d'un individu, il n'en est pas de même dans un âge plus avancé et surtout aux approches de la puberté. Il se révèle en effet à ce moment, chez ces gens qui ont été victimes d'une erreur, des penchants et des habitudes qui sont ceux de leur véritable sexe, et dont l'observation aiderait considérablement à marquer leur place dans la société, si l'état des organes génitaux et de leurs différentes fonctions n'était pas suffisant pour arriver à ce but.

De cette réunion des observations, il ressortirait encore clairement ce fait, s'il était nécessaire de le démontrer encore, que l'hermaphrodisme n'existe pas chez l'homme et les animaux supérieurs.

La chirurgie est souvent toute-puissante pour remédier à certains vices de conformations désignés sous le nom d'hermaphrodisme, et plusieurs cas de succès très-remarquables se trouvent rapportés dans la thèse de M. Léon Le Fort : celui entre autres de Louise D..., emprunté à la pratique de M. Huguier, et à laquelle ce chirurgien fit un vagin artificiel avec un succès complet. On se souvient de l'observation de Marie-Madeleine Lefort, sur laquelle Béclard fut chargé de faire un rapport en 1815, et qui mourut en 1864 à l'Hôtel-Dieu. Malgré le rapport très-exact de Béclard, qui concluait qu'elle était une femme, elle n'en fut pas moins considérée pendant quarante ans, par la plupart des médecins et chirurgiens des hôpitaux, qui ont pu l'observer dans les différents services où elle se présentait, comme appartenant au sexe masculin. L'autopsie, faite par M. Dacorogna, interne du service où est morte Marie-Madeleine Lefort, a non-seulement démontré que Béclard avait raison et qu'elle possédait tous les attributs propres au sexe qu'il lui avait désigné, et qu'elle ne différait des autres femmes que par un clitoris plus volumineux qu'il ne devait être et une imperforation du vagin qui se trouvait cloisonné par une membrane peu épaisse, et que la simple incision de cette membrane aurait suffi pour rendre le sujet définitivement à son sexe. Béclard avait du reste proposé cette opération alors qu'il fit son examen.

Pendant longtemps, on mit à contribution bien des causes diverses pour expliquer ce genre d'anomalie. L'anatomie comparée surtout a été invoquée souvent ; mais depuis les beaux travaux de M. Coste et d'autres embryogénistes modernes, c'est surtout à l'anatomie de développement ou embryogénie que l'on demande les lumières nécessaires pour résoudre de pareilles questions. C'est en effet l'étude de l'embryogénie qui nous montre que les divers temps d'arrêt subis par les embryons sont l'origine des différentes déformations ou monstruosités qui ne sont que trop souvent offertes à notre observation et qui constitue en grande partie l'anatomie pathologique et toute la science des monstruosités ou tératologie. Je vais donc mettre à contribution l'embryogénie pour expliquer l'état des organes génitaux externes du sujet dont je rapporte l'observation. D'après M. Coste, les organes génitaux externes ne commencent à apparaître que du quarantième ou quarante-cinquième jour, et alors que les organes internes correspondants ont déjà commencé leur développement depuis plusieurs jours. On voit alors à cette période fœtale, à la base du bourgeon caudal, dans la petite fente qui se creuse de plus en plus et qui doit communiquer un peu plus tard avec la vessie, le vagin et le rectum, on voit, dis-je, au sommet de cette petite fente ou sillon, deux petits corps arrondis qui doivent donner naissance chez l'homme aux corps caverneux de la verge, et chez la femme, au clitoris et aux petites lèvres.

Ces deux petites éminences se réunissent par leur bord supérieur, et forment entre leur bord inférieur, qui reste libre, une petite gouttière qui doit persister chez la femme, mais qui se transforme en un canal complet chez l'homme, et constitue l'urèthre. L'absence de réunion chez l'homme des bords libres de cette fente ou gouttière établit le vice de conformation que nous désignons sous le nom d'hypospadias, ce qui est le cas du sujet que nous étudions.

Au-dessous des petites éminences dont je viens de parler, s'en développent bientôt deux autres qui doivent former le scrotum de l'homme ou les grandes lèvres de la femme. C'est donc la non-réunion des deux lobes du scrotum qui constitue ce que j'ai désigné sous le nom de grandes lèvres sur le sujet que j'étudie.

L'analogie que l'on peut établir entre les différentes glandes qui se trouvent dans le vagin de la femme et celles de l'urèthre de l'homme nous autorise parfaitement à affirmer que les glandes vulvo-vaginales de notre sujet n'étaient autres que les glandes de Cowper ou bulbo-uréthrales ; celles qui existaient dans le vagin, qui finissaient en cul-de-sac, étaient les glandes de l'urèthre de l'homme ; ce cul-de-sac vaginal lui-même n'était autre chose que le canal de l'urèthre qui aurait dû exister à l'état normal.

M. le professeur Courty, qui s'est beaucoup occupé des analogies organiques qui existent dans les différents appareils, justifie ainsi d'une façon très-claire et très-vraisemblable, celles qu'il établit entre la portion membraneuse de l'urèthre chez l'homme et le vagin chez la femme. « Le vagin, en effet, se développe dans le blastème intermédiaire au rectum et à la vessie, immédiatement au-dessous de l'aponévrose périnéale moyenne, par la formation, dans la cloison vésico-rectale, d'un canal qui va à la rencontre, d'un côté, de la fente vulvaire, de l'autre, du col utérin. C'est identiquement dans le même point et de la même manière que se forme la portion membraneuse de l'urèthre de l'homme en avant de la crête uréthrale (adossement des deux spermiductes), en arrière de la fente ou gouttière pénienne, qui ne tarde pas à se convertir en canal par une soudure inférieure étendue jusqu'au bulbe inclusivement.

« De cette analogie, confirmée d'ailleurs par toutes sortes de preuves que je ne veux pas reproduire ici découle une conséquence qui ne laisse pas que de paraître paradoxale, de prime abord, à savoir que, chez l'homme, il n'y a pas, à proprement parler, de canal de l'urèthre, tandis qu'il y en a véritablement un chez la femme. Chez l'homme, le canal par où l'urine s'écoule de la vessie au dehors n'est autre chose que l'analogue du canal vagino-vulvaire de la femme développé d'autre façon et accommodé à d'autres usages. Chez l'homme, les voies urinaires proprement dites finissent au col de la vessie. Le canal qui y fait suite appartient, par son origine et sa finalité, à l'appareil génital. Il est, à vrai dire, et par-dessus tout, propulseur de la semence. *Il se prête* seulement à l'excrétion de l'urine, ce liquide le parcourant d'un bout à l'autre et passant successivement dans ses portions prostatiques (col utérin), membraneuses (vagin), bulbo-spongieuses (vestibule) ; preuve nouvelle des différences de structure ou de destination que la nature sait imprimer aux organes fondamentalement identiques[1]. »

La situation des canaux éjaculateurs sur le sujet dont je rapporte l'observation donne raison à la théorie de M. Courty ; on voit en effet que dans le développement normal de cet urèthre transformé en vagin, l'orifice externe de ces petits canaux correspondrait à la situation du verumontanum.

Parmi les questions médico-légales que peut soulever une observation semblable à celle d'Alexina, se présente celle où un expert eût été appelé à se prononcer sur l'aptitude au mariage et à la reproduction. On eût assurément éprouvé de l'embarras à se prononcer sur une telle question ; mais je ne crois pas qu'on eût été suffisamment autorisé, après un examen sérieux des organes génitaux, à se prononcer pour la négative dans l'un et l'autre cas.

La procréation étant le but naturel du mariage, Alexina était porteur des organes caractéristiques de son sexe et dont les fonctions s'exerçaient. La disposition des canaux éjaculateurs s'opposait à ce que la semence fût portée directement au fond du vagin ; mais l'on sait très-bien aujourd'hui que la fécondation peut se produire alors même que le fluide séminal imprègne seulement l'entrée du vagin. La science possède de nombreuses observations de sujets atteints d'hypospadias, dont l'orifice uréthral externe était plus ou moins rapproché du scrotum, qui n'en sont pas moins devenus père de plusieurs enfants,

1. A. Courty, *Maladie de l'utérus et de ses annexes*, Paris, 1867, in-8°, p. 37.

et dans ce cas, l'authenticité de la paternité était démontrée par la transmission héréditaire à leurs enfants des vices de conformation dont ils étaient eux-mêmes atteints. Le fluide séminal pris dans la vésicule correspondante au testicule descendu sur le sujet de notre observation ne contenait pas de spermatozoïdes ; à plus forte raison le sperme pris dans la vésicule du testicule qui était resté engagé dans l'anneau devait également en être dépourvu[1], et cela paraît être la règle pour les testicules qui n'accomplissent pas leur complète migration ; mais cet état de choses ne pouvait bien être que temporaire pour le testicule complétement descendu chez Alexina, et l'on eût très-bien pu à un autre moment constater la présence de spermatozoïdes dans son liquide séminal. On sait très-bien que chez des hommes qui ont toutes les apparences de la santé, il y a quelquefois absence de spermatozoïdes pendant un temps donné, sous une influence quelconque, et qu'ils peuvent réapparaître ensuite. Cela pouvait bien être le cas du sujet que nous avons étudié. Contrairement aux cas de Follin, les nombreuses et intéressantes observations de monorchidie, rapportées par E. Godard, démontrent d'une manière constante la présence des spermatozoïdes dans le fluide séminal des individus qui n'avaient qu'un testicule dans le scrotum.

---

1. Follin a également rapporté l'observation d'individus qui n'avaient qu'un testicule dans le scrotum et chez lesquels on ne trouvait aucun spermatozoïde ni d'un côté ni de l'autre. (Voyez aussi les recherches de Godard, *Sur la monorchidie et la cryptorchidie*, 1 vol. in-8°, 1860, et *Comptes rendus et mémoires de la Société de biologie*, 1859, avec planches.)

*Presse*

L'Écho rochelais, *18 juillet 1860.*

Comme il n'est bruit, dans notre ville, que d'une métamorphose étrange, extraordinaire en physiologie médicale, nous allons en dire quelques mots, d'après des renseignements pris à bonne source.

Une jeune fille, âgée de vingt-et-un ans, institutrice aussi remarquable par les sentiments élevés du cœur que par une instruction solide, avait vécu, pieuse et modeste, jusqu'à ce jour, dans l'ignorance d'elle-même, c'est-à-dire dans la croyance d'*être* ce qu'elle paraissait dans l'opinion de tous, bien qu'il y ait eu, pour gens d'expérience, des particularités organiques qui eussent dû faire naître l'étonnement, puis le doute, et, par le doute, la lumière ; mais l'éducation chrétienne de la jeune fille était l'innocent bandeau qui lui voilait la vérité.

Enfin, tout récemment, une circonstance fortuite est venue jeter un certain doute dans son esprit ; appel a été fait à la science, et une erreur de sexe a été reconnue… La jeune fille était tout simplement un jeune homme.

Indépendant de la Charente-Inférieure, *21 juillet 1860.*

Il n'est bruit depuis quelques jours, à La Rochelle, que d'une singulière métamorphose qui vient de s'opérer chez une institutrice âgée de vingt-et-un ans. Cette jeune fille, réputée par ses talens non moins que par sa modestie, fit tout à coup, la semaine dernière, son apparition en habits d'homme dans l'église Saint-Jean, entre sa mère et une dame des plus estimables de la ville. Quelques personnes venues pour assister à la messe, surprises d'un pareil travestissement dans un semblable lieu, et en pareille compagnie, et pouvant moins encore s'en rendre compte de la part de personnes connues par leur piété, ne purent tenir en place, et sortirent de l'église pour répandre la nouvelle. Bientôt tout le quartier fut en émoi ; des groupes se formèrent ; chacun, cherchant vainement le mot de l'énigme, se livra aux conjectures les plus bizarres ; les histoires les plus ébouriffantes circulèrent dans toute la ville, mais la fine-fleur du cancan s'épanouit surtout en plein dans le quartier Saint-Jean, où l'on sait que le terroir lui est on ne peut plus favorable. Dans l'impossibilité de nous reconnaître au milieu des bruits si divers qui arrivaient à nos oreilles, nous nous sommes abstenu d'entretenir nos lecteurs des faits avant de les bien connaître. Voici ce qui résulte de renseignements puisés à bonne source :

Il s'agit ici d'une de ces apparences trompeuses de sexe dont certaines particularités anatomiques peuvent seules donner l'explication. Les livres de médecine en contiennent plus d'un exemple. L'erreur se prolonge d'autant plus qu'une pieuse et modeste éducation vous maintient dans la plus honorable ignorance. Un jour telle circonstance fortuite fait naître le doute dans votre esprit ; un appel est fait à la science médicale, l'erreur est reconnue, et un jugement rendu par un tribunal rectifie votre acte de naissance sur les registres de l'état civil.

Voilà toute l'histoire, nous ne dirons plus de notre jeune institutrice, mais de notre jeune compatriote : histoire bien simple et qui ne peut que lui concilier l'estime, l'intérêt de tous ceux qui le connaissent.

# Documents

Nous, Maire de la ville de La Rochelle, Chevalier de la Légion d'Honneur, sur l'attestation qui nous a été faite par Monsieurs Loyzet, Bouffard, et Basset, tous trois membres du Conseil Municipal,

Certifions que Mademoiselle Barbin Adélaïde Herculine née à Saint-Jean d'Angély, département de la Charente-Inférieure, le 7 novembre[1] 1838 est de bonne vie et mœurs et digne par sa moralité de se livrer à l'enseignement.

Lui avons délivré conformément à l'article 4 de la loi du 28 juin 1833, sur l'instruction primaire le présent certificat pour lui servir ce que de droit.

La Rochelle, le 9 juillet 1856.
Le maire

\*

1. En réalité le 8 novembre. *(N.d.É.)*

Le soussigné, curé de Saint-Jean de la Rochelle, certifie que Mademoiselle Alexina Barbin, ma paroissienne, a toujours mené la conduite la plus édifiante sous tous les rapports.

Guilbaud, prêtre
La Rochelle, 7 juillet 1856.

*

Monsieur l'Inspecteur,

Vous nous aviez fait espérer que nous aurions l'honneur de vous voir dans le courant du mois dernier. Je m'étais proposé de vous présenter Mademoiselle Alexina Barbin pour être admise au nombre des élèves boursières car son application, son intelligence, sa bonne volonté me font espérer et me donnent pour ainsi dire la certitude qu'elle pourra en une année être capable d'obtenir le brevet d'institutrice. Veuillez, Monsieur l'Inspecteur, vous intéresser à la triste position de sa mère et demander à Monsieur le Préfet, pour cette jeune personne la place restée vacante par la sortie de Mademoiselle Rivaud qui est dans notre maison en qualité de sous-maîtresse.

Nos élèves travaillent avec ardeur, spécialement à l'orthographe usuelle. J'emploie tous les moyens que vous avez eu la bonté de m'indiquer, et je leur fais apprendre par cœur des mots du dictionnaire. Soyez assez bon, Monsieur l'Inspecteur pour venir bientôt nous donner vos bons conseils et nous nous ferons un vrai plaisir de les suivre exactement afin de procurer à nos chères élèves une meilleure réussite.

Agréez le profond respect de celle qui a l'honneur d'être, Monsieur l'Inspecteur, votre très humble

Sœur Marie Augustine,
f.d.l.s.
20 novembre 1856

*

Madame la Supérieure,

De jour en jour je me promets le plaisir d'aller m'entretenir avec vous, mais chaque jour, je suis obligé de renvoyer cette course en présence du travail qui absorbe tous mes instants.

Je suis heureux d'apprendre que vos élèves profitent de vos excellentes leçons et je ne doute pas qu'aux prochains examens elles ne réparent l'échec qui nous a causé tant de peine.

Je connais la position digne d'intérêt de Mademoiselle Barbin et je suis bien aise de savoir qu'elle a fait des progrès ; je ne doute pas que Monsieur le Préfet ne consente à lui accorder une bourse le plus tôt possible.

Agréez, etc.

\*

Monsieur l'Inspecteur,

J'ai appris par ma bonne maîtresse la disposition bienveillante dans laquelle vous êtes de vouloir bien vous occuper de me faire admettre le plus tôt possible au nombre des élèves boursières. Je viens donc, Monsieur l'Inspecteur, vous prier de faire agréer ma nomination à Monsieur le Préfet pour le premier Janvier et compter sur ma vive reconnaissance. Ma maîtresse n'a pas corrigé ma lettre afin que vous puissiez juger par vous même de mon savoir.

Recevez, Monsieur l'Inspecteur, l'assurance de mon profond respect et de ma profonde gratitude,

Votre très humble servante

Alexina Barbin.

Le Château, le 18 Décembre 1856

\*

Monsieur l'Inspecteur,

Mademoiselle Couillaud nous a écrit qu'elle retournait à Saintes, sous-maîtresse dans la même pension où elle était avant les examens. Nous n'avons depuis les vacances que onze élèves boursières dont voici les noms : Mademoiselle Clarisse Bonnin, Offélia Masseau, Céline Peslier, Rosa Bouchaud, Elisa Pellerin, Elisa Jaquaud, Françoise Menant, Clémentine Murat, Adèle Besson, Marie-Thérèse Turaud et Amélie Lemarié. J'espère, Monsieur l'Inspecteur, que vous voudrez bien compléter le nombre en admettant Mademoiselle Barbin, de qui vous avez pu connaître la capacité.

. . . . . . . . . . . . . . . . . . . . . . . . . . . . . . . .
Nous regrettons Monsieur l'Inspecteur que vos occupations si nombreuses nous privent si longtemps de l'honneur de vous voir.

J'ai l'honneur d'être, avec le plus profond respect, Monsieur l'Inspecteur, votre très humble servante,

> Sœur Marie Augustine,
> f.d.l.s.

*

N° 145     *Naissance d'Adélaïde Herculine Barbin.*

L'an mil huit cent trente huit le huit, du mois de Novembre sur les trois heures du soir, par devant nous Jean Baptiste Joseph Marie Chopy, maire et officier d'état-civil de la commune de Saint Jean d'Angély, canton de Saint Jean d'Angely, département de la Charente Inférieure, est comparu Jean Barbin, âgé de vingt deux ans, demeurant à Saint Jean d'Angely, profession de sabotier, lequel nous a présenté un enfant de sexe féminin, né la nuit dernière à minuit dans le domicile des père et mère, rue de Jélu, du mariage légitime de lui, déclarant, et de Adélaïde Destouches, âgée de vingt deux ans, sans profession, demeurant en cette ville, auquel il a donné les prénoms de Adélaïde Herculine, les dites déclarations et présentation faites en présence de Jacques Destouches, aïeul maternel de l'enfant, âgé de cinquante ans, demeurant à Saint Jean d'Angély, profession de sabotier et de Jean Baptiste Lebrun, âgé de vingt cinq ans, demeurant à Saint Jean d'Angély, profession de menuisier, et ont les déclarants et témoins, avec nous signé le présent acte, après qu'il leur en a été fait lecture, excepté le premier témoin qui a dit ne le savoir.

*Dans la marge est portée la mention suivante :*

Par jugement du tribunal civil de Saint Jean d'Angély en date du 21 juin 1860, il a été ordonné que l'acte ci-contre serait rectifié en ce sens :

1) que l'enfant y porté sera désigné comme étant de sexe masculin ;

2) et que le prénom d'Abel sera substitué à ceux d'Adélaïde Herculine.

Saint Jean d'Angély, le 22 juin 1860.

OSCAR PANIZZA

# Un scandale au couvent

*Traduit de l'allemand par Jean Bréjoux*[1]

1. Écrite en 1893, cette nouvelle, publiée pour la première fois en 1914 dans *Visionen der Dämmerung*, Munich, G. Müller, 1914 (en français *Visions du crépuscule*, trad. J. Bréjoux, La Différence, 1979), a été reprise avec sept autres nouvelles dans *Un scandale au couvent*, La Différence, coll. « Minos », 2002. *(N.d.É.)*

Et il les créa, mâle et femelle,
et leur dit : croissez et multipliez.

*Genèse*, I, 27-28

En 1830 le couvent sécularisé de Douay, en Normandie, fut en quelque sorte rendu à sa destination première,
le gouvernement ayant autorisé l'installation d'un établissement d'éducation pour jeunes filles dans ses vastes
et splendides salles, sous la haute direction spirituelle
d'un abbé, que secondaient un nombre suffisant d'ensei-
gnants — en fait des dominicaines, auxquelles le cloître
appartenait jadis. À l'époque on désirait faire quelques
concessions à la noblesse française, si éprouvée ; on
lui permettait d'obtenir à la campagne ce qu'il lui était
impossible d'avoir dans les grandes villes, qu'elle évitait,
et surtout à Paris, savoir : considération, éclat de la
représentation et surtout une certaine influence sur les
institutions régionales et sur la population. Que cette
influence se recouvrît avec une recrudescence de la
pensée catholique, était dans la nature des choses. Et
c'était avec l'accord complet des dames patronnesses
de l'institut que les jeunes filles, dès la première année
de leurs études, faisaient une sorte de vœu. Cela était
considéré avant tout comme une preuve de distinction
et donnait un avant-goût de la véritable vie monacale

à celles qui, étant donné le niveau très bas des finances de la noblesse, préféreraient peut-être un jour prendre définitivement le voile. Donc on faisait des vœux. Des trois vœux courants on ne pouvait naturellement guère exiger le vœu de pauvreté de la part de jeunes filles dont les parents venaient chaque dimanche de leur propriété dans des voitures attelées à deux ou à quatre chevaux et laissaient à leurs enfants un argent de poche spécialement destiné aux fruits et aux sucreries. En revanche le vœu d'obéissance était strictement exigé, et de même — les jeunes filles avaient toutes entre quatorze et dix-huit ans — le vœu de chasteté. Nous reviendrons plus tard sur ce point qui n'est pas tout à fait indifférent à la présente histoire.

Pour commencer, passons brièvement en revue les personnages du drame — que le lecteur après lecture appellera sans doute une tragi-comédie. Il y avait d'abord M. l'abbé de Rochechouart, appelé couramment M. l'abbé, ou encore simplement Monsieur, étant donné qu'il était le seul homme de l'établissement, avec le jardinier et le préposé aux gros travaux. C'était un ecclésiastique raffiné, hautement cultivé, et de vieille noblesse ; il était dans la cinquantaine, aimait ses aises et occupait plutôt une sinécure qu'un poste de travail. À Monsieur incombaient les obligations que lui valait la chapelle du couvent, encore était-il aidé par un sacristain. Il avait également autorité sur la petite église du village de Beauregard, qui ne faisait guère qu'un avec les bâtiments du couvent. Monsieur avait donc une situation surtout honorifique ; il avait de la fortune et pouvait s'adonner sans réserve à sa passion des livres. Ce n'était pas tellement la soif de connaissance qui le poussait ; en gourmet qu'il était, il ouvrait aujourd'hui

tel livre, demain tel autre pour y pêcher quelques pensées et en faire la base de ses plaisanteries du jour.
Son domaine exclusif était la théologie ; naturellement
les classiques ne manquaient point sur ses rayons, pas
plus que les quelques ouvrages érotiques qui étaient des
leurs. Non que Monsieur fût sensuel, il avait le visage
trop débonnaire et le corps trop lourd. Il n'écrivait pas
non plus, ne commentait pas les thèses de saint Thomas d'Aquin et ne proposait aucune modification des
exercices spirituels pour les écoles conventuelles dans
le sens de la modernité. Il avait une nature calme et
sublime et se contentait de ce que chaque jour apportait
avec lui ; en somme, c'était un de ces ecclésiastiques que
l'on rencontre dans les romans de Cherbuliez, un bon
et brave promeneur dans les vignes du Seigneur, ne se
plaignant pas de la qualité du raisin, mais ne contri-
buant pas à l'amélioration des ceps, laissant croître et
pousser tout ce qui voulait. Il avait le front bas, le che-
veu court et dru, de petits yeux au regard paisible, des
joues bien pleines, une bouche extrêmement fine ; il
était de stature trapue, sa parole était brève, stricte et
dénuée de tout pathos. Il n'avait rien d'un prédicateur,
ne travaillait qu'en silence et pour lui-même. Sa tenue
était toujours impeccable.

Venait ensuite Mme la supérieure, appelée le plus
souvent Madame tout court, la directrice de l'institut.
C'était une de Vrémy, vieille famille normande ; elle
portait l'habit des dominicaines. Elle était infiniment
fière, âgée de quarante à cinquante ans, avait beaucoup
de finesse et de dignité. Lorsque Mmes les comtesses
mères venaient en visite pour régler quelque affaire,
elles lui faisaient la révérence, qu'elle exigeait expressément, car sans parler de ses titres de noblesse, elle

avait en somme la situation d'une abbesse. Sur sa robe d'ordre, couleur chamois, elle portait toujours une grande croix d'or dont le pape lui avait fait cadeau. Hiérarchiquement elle était sous les ordres de l'abbé, mais en fait sa situation lui était de beaucoup supérieure ; elle dirigeait toutes les affaires de l'institut, même les plus compliquées, épargnant ainsi à son supérieur spirituel, qui aimait ses aises, une grande partie du travail. Aussi ses rapports avec lui étaient-ils excellents, voire intimes. Madame passait des heures dans la chambre de l'abbé, ils bavardaient familièrement, en solitaires, à voix basse. Mais dans leurs tête-à-tête ne s'insinuait pas la moindre trace de sensualité, le moindre penchant qui fût d'origine sensuelle. Les raisons en étaient les mêmes des deux côtés : Monsieur était une nature calme, méditative, Madame, fort intelligente, avait le cœur froid et à son âge elle était entièrement dominée par la raison. Ce que Madame aimait passionnément, c'était la lecture d'ouvrages mondains ; outre la bibliothèque de l'abbé, où elle avait seule le droit de fouiller, elle recevait chaque mois de Paris un gros paquet. Quand les servantes préparaient sa chambre le soir, elles la trouvaient remplie d'une légère fumée bleue. On n'était pas sans remarquer que Madame, bien qu'elle ne donnât pas de leçons particulières et ne participât qu'à la prière du matin ainsi qu'aux offices dans l'église, retenait longuement dans sa chambre de nombreuses pensionnaires parmi les plus jeunes. Pour le reste, la supérieure ne se montrait guère ; elle se faisait faire des rapports oraux par les huit sœurs de l'Ordre et faisait connaître ses ordres par les domestiques. Son esprit invisible dirigeait tout se qui se passait autour de Douay et bien au-delà de Beauregard.

Mlle Henriette de Bujac était la nièce de Mme de Vrémy, supérieure du couvent. C'était une fille d'environ dix-sept ans, jolie et pleine de tempérament ; on l'appelait le plus souvent Henriette tout court ; elle avait des cheveux bruns aux boucles courtes — la coiffure à la Titus comme l'on disait alors —, des yeux noirs pleins de feu, un corps svelte, peut-être un peu maigre, une imagination fertile. À vrai dire elle échappait aux règlements du couvent. On ne l'y avait d'ailleurs acceptée que par égard pour sa situation de famille — une vieille tante sujette aux convulsions ne pouvait la garder près d'elle — et à cause de sa parenté avec Mme de Vrémy. On l'appelait « le diable blanc », à cause de ses nombreuses robes blanches, ou crème, qu'elle avait apportées de chez elle (elle appartenait aux plus riches familles) et aussi de ses gestes, de ses façons de parler qu'elle soulignait par une mimique expressive. Naturellement elle était l'enfant terrible de Madame, le lutin insupportable dans la chambre de M. l'abbé. Mais là se limitaient ses alliances qui la favorisaient dans l'éternelle lutte des jalousies et des partis pris qui fait la vie des couvents de femmes. Car elle était haïe des huit sœurs de l'Ordre, qui n'avaient rien à lui apprendre en fait de malignité féminine et desquelles Henriette elle-même ne voulait rien savoir pour ce qui est de la discipline ordinaire et de l'enseignement. Cette haine se concentrait essentiellement dans la sœur première, presque toujours appelée simplement la Première, quatrième personnage de notre comédie, femme intelligente, sensée, appartenant également à la noblesse. Elle était le plus important professeur et la deuxième dame du couvent, après Mme la supérieure, on présumait même qu'elle lui succéderait un jour. Henriette était également haïe de presque toutes ses camarades plus jeunes, d'abord à cause de son âge, de ses toilettes, de ses manières désinvoltes et enfin des nombreuses libertés qu'elle prenait dans la maison.

Quels étaient exactement les rapports entre Henriette et Mlle Alexina Besnard, véritable héroïne de notre récit ? La suite nous le dira dès que nous aurons brossé succinctement son portrait. Cette jeune personne, du même âge qu'Henriette, une des plus remarquables pensionnaires de la maison, était l'élève la plus studieuse et la plus douée, l'honneur de l'établissement pour beaucoup de familles, le modèle des progrès que l'on pouvait faire à Douay. Alexina était la fille de pauvres gens ; dès sa prime jeunesse elle se montrait hardie et précoce, elle avait déjà remporté des prix à l'école du village, elle était remarquablement douée en mathématiques et en langues étrangères. Elle apprenait tout avec une extrême facilité, comme en se jouant, et avec la même facilité elle instruisait les filles les plus jeunes. À cet égard elle passait pour un véritable phénomène. Le curé du village connaissait bien ses dons extraordinaires et c'est avec une chaude recommandation de sa part que les pauvres parents, accompagnés de leur fillette, étaient venus un jour frapper à la porte du couvent. Là, après un bref examen, on reconnut à qui on avait affaire. Alexina fut acceptée gratuitement et au bout d'un an on fut d'accord pour cultiver ses rares talents et en faire une éducatrice. Ce qu'Alexina ne comprenait guère, ce qu'elle repoussait avec dégoût, c'était les travaux manuels ; cela n'avait naturellement aucune importance, car pour une seule mathématicienne on trouve dix brodeuses. Comment se présentait Alexina ? Elle avait un aspect étrange, bizarre ; grande et svelte, elle marchait à grands pas rapides, si bien que ses robes étaient toujours en mouvement et sans grâce, son visage était maigre et aurait paru presque laid, si son regard dominateur, pénétrant et qui semblait tout voir, n'avait fasciné aussitôt et si son beau nez aquilin n'avait trahi le domaine inhabituel dans lequel se mouvaient ses pensées. Les vêtements qu'elle portait au couvent ne laissaient rien deviner de ses formes, mais il était peu probable qu'elle eût un corps d'Aphrodite, d'autant plus qu'elle ne faisait rien pour sa parure extérieure, elle ne portait ni dentelles, ni collerettes, ni coiffes, et elle désirait ardemment, disait-elle, prendre un jour l'uniforme du couvent. Sa voix était haute et nette, elle était faite pour commander à de jeunes élèves ; elle se faisait remarquer dans les chœurs, car elle changeait parfois brusquement et passait à l'alto. D'une façon générale, Alexina réunissait en elle une infinie variété de dispositions et de capacités. Elle savait retenir à volonté l'attention de son entourage — un vrai miroir aux alouettes —, et tout tirer à elle pour servir ses penchants.

C'est avec cette fille pauvre, étrange, sèche, peu tolérante et qui pour faire le poids face aux autres pensionnaires ne pouvait mettre dans le plateau de la balance que ses remarquables dons intellectuels, qu'Henriette, la jeune aristocrate riche et raffinée, se lia d'amitié dès les premiers jours de son entrée au couvent. Au bout d'un an elles étaient devenues inséparables, et dans ces relations intimes assez étranges, l'initiative revenait sans aucun doute à Mlle de Bujac. Car Henriette de Bujac était une bonne fille, accessible à la pitié, et peut-être que la pauvreté, la situation particulière d'Alexina au couvent, avait été pour elle la première raison de se rapprocher de sa famille. Mais c'est justement de la richesse, de l'argent de poche, des toilettes d'Henriette qu'Alexina ne pouvait ni ne voulait profiter ; ce n'eût pas été un lien assez solide pour retenir intimement les deux jeunes filles. Quant aux connaissances, aux capacités intellectuelles d'Alexina, elles n'avaient en l'occurrence aucun poids, car elles n'en imposaient nullement à l'insouciante, la gaie, l'enjouée — la paresseuse Henriette, qui ne faisait pas plus de progrès à la fin qu'au début ! En revanche la sympathie, ce lien si mystérieux déjà dans la vie courante et dont on ne saurait déchiffrer les ruses, la sympathie, elle la comprenait ! Mais qu'un tel lien est léger et ténu pour les sentiments lunatiques des jeunes filles et qu'il est facile à rompre !

Si nous ajoutons un certain nombre de servantes, d'élèves, de sœurs blanches avec leurs scapulaires, nous aurons fait le tour du personnel de l'établissement. Et maintenant peut commencer le 20 juin 1831, cette journée que les murs du couvent de Douay n'ont pas oubliée, cette soirée au cours de laquelle les cent ou cent vingt pensionnaires se rendaient toutes au lit, sans exception, le cœur battant, le front lourd de pensées. Une nuit encore, et le matin suivant allait s'accomplir un des phénomènes naturels les plus éclatants, mais aussi une des plus affreuses catastrophes.

M. l'abbé était assis dans sa chambre ; il avait bu son café matinal et repoussé sa tasse sur la table. M. l'abbé ne fumait pas — mais il lisait ; en guise de cigare matinal il lisait les *Theologiae moralis libri sex* de Liguori. Monsieur n'était nulle part mieux chez lui que dans le domaine de la théologie morale. Busenbaum, Ribadeneira, Sanchez qui en avaient disserté, étaient là près de lui dans de belles éditions de parchemin, pressées les unes contre les autres. Monsieur était-il lui-même très moral dans la vie ? On ne saurait répondre, et d'ailleurs cela n'a rien à voir en l'occurrence. Monsieur lisait des œuvres de morale aussi volontiers qu'un autre va à la chasse — sans que l'on demande à cet autre s'il aime tuer les animaux. Monsieur examinait volontiers les concepts moraux, jouait avec les vertus cardinales, tirait de ses traités en guise de noirs ballons d'essai quelques vices qu'il infusait en imagination dans le cœur de gens inconnus. Il les laissait alors agir pour voir ce qui en sortirait.

Nous ne saurons pas quel chapitre de Liguori Monsieur lisait, bien que nous nous efforcions de déchiffrer le texte par-dessus son épaule, car les caractères d'imprimerie du XVII<sup>e</sup> siècle, surtout dans les éditions lyonnaises, sont fort mal formés et effrités. Mais le passage devait plaire à l'abbé car il clignait des yeux et passait son index droit en rond autour de son nez, lequel d'ailleurs n'était pas très loin du livre. Nous avons dit plus haut que Monsieur n'était pas de nature sensuelle, mais il ne faudrait pas en tirer de fausses conclusions. Monsieur était sublime, et partout où quelque chose lui tombait sous les yeux, il marquait un arrêt. Peut-être lisait-il justement *De verecundia* ? Mais alors ce qui l'intéressait ce n'était pas la pudeur en elle-même, mais les différences ténues qu'elle montrait avec la *castitas*. Ce n'était pas la pudeur un peu honteuse telle que, par exemple, elle se manifeste chez les servantes, qui était l'objet de son intérêt ; ce qu'il cherchait à dépister c'était la façon dont pouvait s'exprimer cette vertu au Ciel, chez les anges.

Puisque nous ne pouvons savoir quel chapitre Monsieur étudiait, regardons un peu ce qu'il y avait dans sa chambre. Elle était claire et aimable, le soleil du

matin traversait la fenêtre près de laquelle se trouvait
le grand bureau plat du distingué ecclésiastique ; de
lourdes portières vertes agrémentaient le coin ; sur le
plancher, une peau de tigre luisante, dans les plis de
laquelle jouaient les petits souliers à boucle de l'abbé ;
en arrière, près d'une deuxième fenêtre, un grand
paravent de soie séparait la pièce en deux ; près d'une
troisième fenêtre, quatre ou cinq bibliothèques, bour-
rées de volumes, se dressaient au ras du mur ; à en
conclure par leurs nombreux dos jaunis, parchemin ou
peau de porc, ils renfermaient à coup sûr une masse
théologique. Ajoutons un petit prie-Dieu et deux portes
sur le même côté, l'une conduisant aux appartements
de Madame, à l'étage supérieur, et l'autre débouchant
sur le corridor. Il y avait encore quelques fleurs dans
un vase, une cheminée entre les deux fenêtres, ornée de
statuettes. Nous avons gardé pour finir la chose la plus
frappante : c'était une odeur particulière, extravagante,
telle qu'on la trouve dans les pièces où vivent certaines
gens, et qui vous frappait dès l'entrée, une odeur faite
d'un mélange de raisins secs, d'encre d'imprimerie, de
poudre insecticide et de la sueur *sui generis* du prélat.
Comme une vapeur épaisse et inextinguible cette odeur
planait dans la pièce.

Tandis que l'abbé était plongé dans les problèmes
moraux que soulève Liguori, les petites pensionnaires
du troisième étage enfilaient leurs petites culottes, glis-
saient les pieds dans leurs pantoufles pour se rendre
aux tables de toilette qui se tenaient à côté de chaque
lit ; elles faisaient gicler l'eau fraîche sur leurs nuques
fines, se frottaient un peu les joues et le front, reje-
taient en arrière les cheveux qui leur tombaient sur la
figure, se penchaient et se redressaient droites comme

des *i*. C'est qu'il était juste sept heures, l'heure du lever. Monsieur se levait tôt, car il lui fallait dire sa messe. Dans tout le dortoir on ne voyait plus que lumignons et taches blanches, des bras, des nuques couleur chamois, des jupons et des pans de chemise d'un blanc éclatant, et parfois de petits points scintillant dans les bouches ouvertes. On entendait partout froufrous et glissements ; les bruits des filles qui s'habillent ou se déshabillent, le déclic des jarretières, les savates traînantes et autres frottements de tout genre remplissaient la salle. À part cela tout était calme car l'esprit de ces jeunesses était encore retenu dans les filets des rêves, ce qui empêchait parlottes et bavardages.

Mais que se passait-il à la même heure chez Mme la supérieure ? Sans doute était-elle déjà levée et buvait-elle son chocolat, enveloppée d'une robe de chambre brodée de croix, de cœurs et de clous de la Passion. Elle était occupée à répandre dans son appartement cette fumée bleutée que les servantes trouvaient toujours chez elle et qu'elles prenaient pour l'encens dont Madame usait pour sa prière du matin. Peut-être avançait-elle déjà la main vers un paquet venu de Paris et qui était ouvert sur la table, elle prenait un petit *in-octavo* et commençait à lire, à lire, à lire — souvent jusqu'à ce que le soleil fût déjà haut. Car Madame ne participait pas à la prière matinale qui réunissait avant le petit déjeuner les habitants du couvent. Dans la matinée elle ne vaquait à aucune affaire de direction, et ce jour-là elle serait restée dans sa robe de chambre à lire jusqu'au bout le petit *in-octavo*, si une voix flûtée, mais nette ne s'était élevée près d'elle pour lui faire la plus étrange des communications.

À ce même moment soixante ou quatre-vingts demoiselles, les paupières lourdes encore de sommeil, descendaient l'escalier en faisant claquer leurs souliers ou en traînant les pieds, pour se rendre dans la grande salle du rez-de-chaussée où se faisait la prière du matin, à quoi succédait immédiatement le petit déjeuner impatiemment attendu, pain blanc abondamment beurré et café à discrétion. Déjà pendant la descente en trombe et pendant la prière, mais plus encore au cours du petit déjeuner, où les petites bouches entamaient d'ordinaire leurs premiers exercices en vue des bavardages de la journée, on avait perçu des murmures, des chuchotements, des gesticulations qui, à cette heure ensoleillée du matin, étaient tout à fait inhabituels. Et lorsqu'enfin après le petit déjeuner grandes et petites se rendirent au travail et que les salles de classe virent fleurir l'arithmétique, les leçons par cœur, les classiques, les rédactions, la calligraphie, on s'aperçut qu'une excitation inaccoutumée s'était emparée de toute la troupe, qu'un ferment d'une intense activité bouillonnait dans les têtes et les cœurs ; tous les yeux brillaient, toutes les joues étaient en feu. Et comme la sœur première, loin de chasser d'un seul geste de la main, comme elle aurait pu le faire, les « révoltées du palais » dans leurs salles de travail, laissait en souriant les choses aller leur train, ne nous étonnons plus si ce qui devait arriver arriva.

M. l'abbé, toujours assis sur sa peau de tigre, continuait à lire Liguori, *Theologiae moralis libri sex*. Il avait depuis longtemps pris son petit déjeuner. Lui non plus ne participait pas à la prière du matin. Soudain il entendit derrière la porte qui donnait sur le corridor des bourdonnements et mouvements divers ; puis il y eut une espèce de cliquetis comme si une avalanche de petites dents s'entrechoquaient, tout cela parmi des raclements de chaussures, un bruit de foule, des poussées, des cris perçants, des rires étouffés et des pst ! pst ! Monsieur connaissait ces bruits lorsqu'aux jours chauds de l'été, vers deux heures de l'après-midi, trente à quarante pensionnaires se plantaient à grand bruit devant sa porte jusqu'à ce qu'il ouvre ; la cohorte entière tombait alors à ses genoux, les mains jointes, en criant : « Nous demandons des vacances de chaleur ! » Mais ce jour-là il ne faisait pas chaud et il n'était pas non plus deux heures, mais neuf heures du matin. Et nul ne pouvait savoir si la journée serait chaude. Monsieur continuait à lire, l'index droit posé sur la bosse de son nez. Il avait coutume de prolonger son déjeuner moral avec Liguori ou saint Thomas d'Aquin jusque vers midi. Mais cette fois il se leva car la porte menaçait d'être enfoncée. Il ouvrit donc et toute la troupe des jeunes filles en tablier gris de travail, nœuds de tulle blanc sur les épaules, les cheveux fous cachés sous de délicates coiffes couleur chamois, déferla. Elles criaient, pleines d'indignation, se penchaient en avant, étendant les mains et les frappant l'une contre l'autre. Tout ce que Monsieur put comprendre dans ce charivari était les noms d'Henriette et de la Maîtresse. La Maîtresse, les filles avaient trouvé ce nom pour Alexina, à qui l'on avait récemment confié quelques heures d'enseignement dans les petites classes. Le nom, accepté par tous, lui resta et sembla être ainsi l'heureuse prémonition du poste qu'à l'avenir elle occuperait au couvent. Mais ce nom allait prendre soudain une autre valeur. Ce que Monsieur comprenait, c'était toujours les mêmes mots : Henriette et la Maîtresse. L'abbé finit par imposer silence et demanda à l'une des fillettes les plus âgées ce qui se passait. Alors elle sortit le paquet : ce matin au lever, dans le dortoir des grandes, on avait trouvé

Henriette, la nièce de Madame, dormant dans le même lit qu'Alexina, son amie intime ; leurs mains et leurs corps étaient entrelacés ; le lit d'Henriette qui se trouvait dans une autre rangée était vide. Une des grandes qui par hasard s'était levée avant l'heure pour satisfaire un besoin pressant, les avait vues mais ne s'était pas arrêtée ; en revenant elle les avait trouvées dans la même position. Alors elle avait réveillé d'autres compagnes qui étaient accourues et avaient constaté les faits. Le bruit, les rires avaient réveillé d'autres élèves encore, si bien que finalement la moitié du dortoir s'était rassemblée autour des deux dormeuses. Alors on avait tiré les couvertures et on avait vu des horreurs ! Alexina et Henriette s'étaient réveillées et s'étaient brusquement désenlacées en poussant des cris.

Toutes les filles, les joues en feu, avaient ajouté leur grain de sel au récit. Puis il y eut une pause. Monsieur qui tenait toujours son Liguori de la main gauche, marquant sa page d'un doigt, tandis que son pouce gauche était passé dans une boutonnière de sa soutane, se contenta de faire entendre un : « Eh bien ? » comme s'il voulait dire : « Et alors, qu'est-ce que cela signifie ? » Les gamines se précipitèrent sur lui, les mains en l'air, criant d'une seule voix : « Mais c'est honteux ! c'est terrible, ça ! c'est sale ! Enfin, c'est tout ce que vous voudrez ! » Elles avaient sans doute le droit de s'exprimer ainsi sans diminuer en rien l'énorme distance qui les séparait de leur directeur et du prêtre. Monsieur avait, si l'on peut dire, le dos assez large pour que les petits poings aient le droit de le lui tapoter à l'occasion. Et si d'un côté il était pour une dizaine de filles aux stricts sentiments religieux, quelque chose comme le Bon Dieu, il n'en restait pas moins le bon père, sachant

faire preuve de bonne volonté malgré sa haute position. C'est justement dans les affaires féminines que les
filles avaient le droit d'exprimer leur opinion en usant
des pires formules et d'une forte dose de pathos. Ce
qui avait frappé l'abbé cette fois, c'était la présence des
grandes, elles se tenaient en arrière et montraient des
visages embarrassés. La porte s'ouvrit alors et la sœur
première entra, le visage bouleversé — de façon peut-
être un peu excessive. Elle tomba à genoux aux pieds
de l'abbé, couvrit son visage de ses mains et d'un pan
de soutane, et s'écria en sanglotant : « Oh, Monsieur,
c'est honteux ! » L'abbé la calma d'un « Mais qu'y a-t-il
donc ? » et releva la Première, qu'il aimait beaucoup.
Henriette et Alexina, répondit-elle, avaient disparu, elles
n'avaient paru ni à la prière ni au petit déjeuner. Ce qui,
avec les ragots qui couraient maintenant le couvent,
faisait conclure à une faute grave, d'une importance
inaccoutumée. À ce moment d'autres filles encore se
faufilèrent par la porte entrouverte, apportant d'autres
nouvelles qu'elles prétendirent avoir apprises des servantes. Par l'ouverture de la porte on apercevait les servantes, la figure illuminée d'une joie mauvaise, tendant
l'oreille pour savoir si leurs histoires avaient été fidèle-
ment rapportées : on avait retrouvé Alexina en chemise,
tapie dans le grenier ; elle refusait de descendre si on
ne lui apportait pas ses vêtements. Henriette aussi avait
été retrouvée : elle s'était d'abord réfugiée, sans prendre
le temps de s'habiller, dans la resserre aux provisions ;
découverte par la femme de chambre, elle avait grimpé
en toute hâte chez la supérieure. Madame avait alors
donné l'ordre de faire monter les habits de sa nièce. De
plus on avait constaté que le lit d'Henriette n'avait pas
été défait de toute la nuit et qu'il était encore intact.

D'autres élèves intervinrent alors : elles avaient souvent vu Henriette venir à la première heure du matin pour défaire son lit, ce qui impliquait qu'il était intact auparavant, car personne ne bouchonne ses draps au moment de se lever !

À cet instant la deuxième porte s'ouvrit et Mme la supérieure entra. Toutes les filles, comme prises en défaut, reculèrent respectueusement. Seule la sœur première ne bougea pas et toisa la supérieure d'un regard décidé. Par ce seul regard et par l'écho qu'il éveilla dans les yeux de Madame, un connaisseur eût pu saisir d'un seul coup toute la situation. Et si M. l'abbé avait été plus perspicace, il eût pu voir déjà que la sotte amourette entre Henriette et Alexina n'était qu'une occasion de plus pour faire se mesurer les deux femmes ; pour peu que la bataille fût conduite régulièrement, Henriette constituerait le défaut de la cuirasse chez Madame ; à partir de là et en levant le voile sur ce qu'il y avait de suspect dans la vie de Madame, on découvrirait la faiblesse de sa position. Madame paraissait surprise et indignée : que venaient faire toutes ces filles ici ? en était-on au Jugement dernier ? Que tout le monde regagne les classes sur-le-champ ! Sur un signe de sa main toute la troupe s'éclipsa. Avec un faux air de bonté, Madame exhorta la sœur première à ne pas laisser ces filles dissipées et batailleuses prendre les rênes du couvent. Elle avait entendu ce qui s'était passé et rendait la sœur première responsable de la bonne tenue de la maison au cours de la journée. Avec un : « C'est bien ! » prononcé à mi-voix, la Première quitta la pièce. Madame et Monsieur demeurèrent seuls.

Jusque-là l'abbé n'avait rien décidé. Il aimait jouer les spectateurs muets et enregistrer simplement les faits. Il attendit donc que Madame prît la parole. C'est une affreuse histoire, dit-elle, montrant son grand souci, non de la chose elle-même, mais de l'agitation qu'elle allait soulever. Faut-il que cela prenne pareilles dimensions ? Ne dirait-on pas que le diable s'est glissé dans tous les membres du couvent ? Monsieur eut un mouvement de défense et fit trois signes de croix. « Eh bien, dit Madame, la grande faute c'est d'avoir laissé les choses aller si loin. Les sœurs n'ont pas fait leur devoir ! » Madame demandait que la Première fût punie ; le mieux serait de l'envoyer dans un vrai couvent. Monsieur défendit la Première, qu'il aimait beaucoup ; elle était indispensable comme professeur, qui la remplacerait pour ses leçons de style français ?, sans parler de ses qualités de surveillante. Non, le tort qu'ils avaient eu, Madame et lui, c'est de ne jamais assister à la prière ni au petit déjeuner. On aurait découvert l'affaire plus vite, car elle s'était déclenchée vers les six ou sept heures du matin, or à neuf heures l'essaim des jeunes filles était déjà répandu partout. Madame resta sur ses positions : c'étaient les sœurs qui avaient fait tout le mal, des enfants de quatorze ou quinze ans n'iraient pas si loin d'elles-mêmes. Mais ce qui intéressait Monsieur bien davantage, c'était le côté moral de la chose. « Était-il courant que des filles couchent dans le même lit ? — Sans doute, les petites sont comme des chats qui jouent. — Mais Henriette a presque dix-sept ans et la Maîtresse va déjà sur ses dix-huit et enseigne dans les petites classes. — Soit, mais le lien d'amitié entre les deux jeunes filles est extrêmement étroit. — Est-ce que ces amitiés entre filles s'expriment sensuellement ? — Parfois oui. » Mais Madame n'avait aucune idée des dimensions que cela pouvait prendre. Elle avait bien entendu dire certaines choses, mais en aucun cas il ne s'agissait de faits graves ; toutes les deux étaient simplement des filles jeunes, pleines de feu et d'imagination. L'abbé fit un geste de la main comme pour dire que l'explication était insuffisante et se tourna vers sa bibliothèque près de la fenêtre. En tout cas, dit Madame en s'en allant, ces jeunes louves sont à nouveau dans leurs cages ; elle allait vite donner l'ordre à Henriette et à Alexina de se présenter à table comme si de rien n'était ; il ne fallait pas mettre les deux pécheresses à l'écart, tout pouvait encore s'arranger.

En quoi elle se trompait. Si seulement la Première n'avait pas été décidée à battre le fer tant qu'il était chaud ! Si seulement Monsieur avait renoncé à son intérêt pour la morale et à prêter l'oreille à tout nouveau détail qu'on lui apporterait ! Entre-temps Monsieur avait tiré à lui le *Dictionnaire ecclésiastique* et cherché à la rubrique *Sapho* ; ne trouvant pas ce qu'il désirait, il chercha à *Lesbos* et comme il ne trouvait pas davantage, il se reporta à l'article *tribade*. Il prit le livre avec lui sur la peau de tigre et y resta plongé pendant une demi-heure.

Pour le moment, le calme régnait encore. Mais nous, nous ne pouvons accorder au lecteur le moindre repos : il lui faudra suivre avec nous toute cette scandaleuse affaire telle qu'elle s'est déroulée au cours de l'après-midi. Il lui faudra traverser d'un vol rapide cet antre de sorcières à la Breughel qu'est l'intérieur d'un couvent. De toute façon nous n'avons pas le temps d'entrer dans les détails — mais pas davantage le droit de nous arrêter pour souffler.

Il existait un règlement selon lequel toute élève pouvait à chaque instant s'adresser à l'abbé ou à la supérieure pour lui soumettre un cas particulier ou une réclamation. C'était là un paragraphe qui avait été adopté en faveur des parents, pour leur donner toutes garanties contre les abus d'autorité du fait des organes subalternes, mais auquel on ne se référait presque jamais, étant donné la discipline humaine et quasi patriarcale qui régnait au couvent. Il semble bien que la Première et les autres sœurs aient rappelé aux élèves l'existence de ce paragraphe, car lorsqu'à dix heures les filles quittèrent leurs classes pour manger à la récréation leur morceau de pain noir, la même troupe se rassembla devant la porte de Monsieur, et les mêmes bousculades, chuchotements et rires étouffés indiquèrent à l'abbé, qui allait et venait pensivement dans sa chambre, les chansons de Sapho à la main, qu'il y avait du nouveau. Cette affaire était tout à fait de son goût : il voulait savoir jusqu'à quel point la nature, pécheresse en soi, pouvait pousser d'innocentes jeunes filles à des exercices sensuels, dans lesquels le diable avait sans doute la main — encore que sous une forme atténuée — et quelles questions ou objections de morale théorique et de discipline pratique pouvaient s'y rattacher. Et de là il faisait ensuite un saut hardi jusque dans l'Antiquité, à une époque où le Prince de l'Enfer n'était pas encore enchaîné, pouvait librement jouer son jeu infâme et impliquer sans rémission les femmes païennes dans les liens du péché, sous la forme du « tribadisme » ! Liens dont aujourd'hui encore, au XIXe siècle, pouvait se manifester jusque dans les couvents un faible reste, une fibre ténue, capable de témoigner encore de la puissance du Mal. *Et cætera, et cætera !*

Ainsi cheminaient les pensées de Monsieur, qui l'occupaient tout entier et lui avaient depuis longtemps fait oublier les exhortations diplomatiques de Madame pour que l'affaire ne fît pas tache d'huile. Là-dessus l'abbé ouvrit sa porte et fit entrer les jeunes filles qui attendaient, les lèvres toutes rouges, leur pain intact à la main, et il referma la porte sur elles. « Mes enfants, dit-il, je ne vous demande qu'une chose, c'est de parler chacune à votre tour. Ne soyez pas deux à me racon-ter la même histoire ! » Alors un véritable torrent de lave se déversa. Y passèrent toutes les histoires les plus extraordinaires que les filles avaient concoctées à la der-nière heure de classe avec l'aide des sœurs surveillantes, au lieu de faire de l'écriture, de l'histoire, du calcul. Depuis longtemps elles avaient remarqué des choses bien particulières entre la Maîtresse et Henriette ; on les trouvait toujours ensemble dans les coins sombres à papoter, à chuchoter ; les baisers qu'elles se donnaient n'en finissaient pas ; quand dans une classe elles étaient séparées, elles se faisaient des signes de la main et se lançaient des œillades. Il était inouï de les voir courir l'une après l'autre, s'accrocher l'une après l'autre comme des glouterons et ne plus pouvoir se séparer. — D'un autre groupe : la Maîtresse est un être fort bizarre, elle a des choses qu'aucune autre fille n'a. Jamais elle ne se baigne avec les autres, elle reste à la maison sous un prétexte quelconque ; elle a toujours répugné à satisfaire un besoin naturel devant d'autres filles, en revanche on l'a souvent entendue rire avec Henriette dans les lieux d'aisance. D'ailleurs au cours des der-niers six mois Henriette n'a jamais couché dans son lit, elle allait retrouver Alexina et se levait ensuite de très bonne heure. Alexina, c'est-à-dire la Maîtresse, ne porte pas de culotte comme les autres filles, mais d'étranges pantalons qui ont une ouverture au bon endroit. Son corset ne tient pas, elle a de gros os ; elle ne marche comme aucune autre fille. Bref, la Maîtresse est une fort étrange personne et c'est pourquoi elle sait des choses que les autres ne savent pas et qu'elle est plus maligne que toutes les autres réunies. — D'un troisième groupe encore, parmi lequel une voisine de lit d'Alexina : à ce qu'elle avait entendu, Henriette et la Maîtresse, tout en faisant semblant de dormir, se donnaient des baisers passionnés, s'enlaçaient et s'appelaient ma bien-aimée. Lorsque ce matin on avait tiré leurs couvertures en présence de nombreuses élèves, on les avait trouvées les jambes entremêlées et le corps plus qu'à moitié nu. Alexina a des membres grossiers et du poil aux jambes comme le diable.

Ces derniers mots qu'accompagnait un oh ! dégoûté du chœur des jeunes filles, Monsieur les avait blâmés, car il n'était pas du tout sûr que le diable eût du poil aux jambes, ni en quelle quantité. Et de surplus ce n'est pas là un sujet de discussion pour jeunes filles ! Une seule d'entre elles, qui faisait déjà partie des grandes, dit avoir vu Alexina passer la main sous les jupes d'Henriette ; celle-ci, toute rougissante, l'avait laissée faire et, se voyant découvertes, elles s'étaient enfuies en riant. « Ah, c'est dégoûtant ! s'écria le chœur, c'est dégoûtant ! » Enfin une autre grande affirma qu'elle ne croyait pas qu'Alexina soit une fille, elle était trop astucieuse, elle savait tout, elle n'était pas non plus douce comme sont les filles, mais dure, brutale ; à son avis Alexina était un esprit mauvais qui avait pris la forme d'une fille et qui disparaîtrait un jour en laissant une odeur pestilentielle. Monsieur écouta tranquillement tous ces ragots et bien d'autres choses encore ; puis il dit aux jeunes filles de regagner leurs classes, que tout serait scrupuleusement examiné. Pour l'instant qu'elles aillent chez la Première et lui disent de venir le voir. « La Première, la Première ! » s'écrièrent joyeusement les fillettes en se précipitant au dehors comme des folles.

Pendant que se succédaient dans le cabinet de Monsieur interrogatoires et dépositions, Madame, au deuxième étage, semblait avoir retrouvé son équilibre. Du moins elle ne descendit pas s'informer de ce qu'on allait faire pour maintenir l'ordre. Les filles qui étaient à ses petits soins, qui d'ordinaire arrivaient en courant et ce matin encore étaient venues lui apporter triomphalement les dernières nouvelles, semblaient être brusquement passées du côté de la sœur première, avec l'instinct des rats qui quittent le navire. C'est ainsi que la fière abbesse, jusque-là toute-puissante, demeura seule avec ses romans et ses cigarettes, sans avoir la moindre idée de ce qui se passait en bas. Dans la pièce attenante se trouvaient Henriette et Alexina, silencieuses et rentrées en elles-mêmes — conséquence des sermons et menaces qu'elles avaient reçus à coup sûr, mais au demeurant parfaitement fraîches et disposes. Henriette, toujours admirablement belle, avec la nonchalance, l'insouciance que donne une beauté éclatante et consciente d'être intouchable en tant que nièce de Madame, avait fait venir sa plus belle robe crème et gardait sérénité et bonne humeur. Mais tout autre était Alexina ; non seulement son avenir était menacé par un faux pas, mais elle avait une certaine conscience des faits. Bien qu'elle considérât ses relations avec Henriette comme innocentes et parfaitement justifiées, son éducation religieuse lui faisait sévèrement juger tout ce qu'il y avait là d'inconvenant pour le semi-professeur qu'elle était ; ses scrupules moraux la touchaient jusqu'au fond de l'âme. Malgré tout, son regard exprimait un sentiment de triomphe, parce qu'elle avait surmonté victorieusement par la volonté tous les obstacles qui s'opposaient à son penchant pour Henriette et qu'après comme avant, son amie lui demeurait enchaînée par toutes les fibres de son être.

L'heure du repas de midi arriva. C'était le seul moment où toutes les élèves étaient réunies en l'absence des servantes. Telle une procession jacassante, la troupe des filles excitées, fiévreuses de curiosité, se déversa dans le vaste hall du vieux réfectoire. C'est alors que l'impensable eut lieu : lorsque Madame fit son entrée en compagnie d'Henriette et d'Alexina, et que les deux jeunes filles voulurent prendre leurs places habituelles, les élèves — surtout les plus petites — prises d'une panique soudaine, reculèrent en criant de dégoût devant les deux pécheresses, surtout devant Alexina qui, en tant que Maîtresse, surveillait la table des plus jeunes. Les sœurs en habit ne firent même pas mine d'intervenir, et lorsque Madame, l'air menaçant, cria pour ramener l'ordre : « Qu'est-ce que ça veut dire ? » il se fit une telle agitation, de tels attroupements que les grandes en furent saisies. Madame ne résista pas et abandonna les deux filles à leur sort. Alexina qui était perspicace, avait compris par un seul regard de Madame la tournure que les choses allaient prendre. Aussitôt elle se hâta de sortir, les deux mains en avant pour se protéger. Les élèves reculèrent devant elle comme devant la peste et la laissèrent passer. Dans la foule on entendit parmi les soupirs et les interjections étonnées un cri parfaitement net : « Ah, tenez ! Le diable ! » Le diable ! Le diable ! répétèrent les rangs pour faire chorus. Et de fait, à bien considérer ce visage osseux, aux traits nobles et bien dessinés, avec ses yeux noirs étincelants, ce cri trouvait dans l'imagination des enfants une sorte de justification. À peine Alexina avait-elle disparu que l'on vit Henriette qui, au premier moment de sa surprise, s'était réfugiée auprès de Madame, regarder avec hésitation autour d'elle, puis prise soudain de la même résolution, jouer des coudes et sortir en trombe. « Voilà sa fiancée ! » cria une voix. Alors le mot courut de bouche en bouche, surtout parmi les petites, comme la chose la plus naturelle : « Le diable et sa fiancée ! Le diable et sa fiancée ! » Et tout naturellement ensuite les élèves se mirent à table et les servantes commencèrent à servir.

La masse avait vaincu. Monsieur et Madame se rendaient compte maintenant des dimensions que l'affaire avait prises et du mal qu'avait fait en l'espace de quelques heures dans les esprits sensibles des plus jeunes élèves, la petite scène d'alcôve du dortoir des grandes. Les cris aigus que le plafond renvoyait en écho : « la Maîtresse ! la Première ! Alexina ! la fiancée ! » mots que les petites dents semblaient déchirer en mille miettes et qui ne cessaient de bourdonner comme des mouches à travers le réfectoire, prouvaient que maintenant il n'était plus possible d'endiguer le flot. La dignité du couvent ne pouvait plus être sauvée qu'en réglant l'affaire avec franchise, sévérité et discipline.

Après le repas, les filles se dispersèrent dans une grande agitation ; Monsieur et Madame demeurèrent seuls pour échanger encore quelques mots. Une servante de service au premier étage vint faire à la supérieure une communication à voix basse. Pendant ce temps la Première attendait à la porte de l'abbé ; il l'avait fait appeler dès avant le repas. « Vous tombez à point, dit-il, il faut que j'examine les choses à fond avec vous. » Ils entrèrent dans le cabinet et Monsieur, les mains croisées derrière son dos, se mit à aller et venir, l'air assez énervé. Non seulement il craignait pour le renom et le succès du couvent, mais il craignait que son supérieur direct, l'archevêque de Rouen, prît fort mal la chose. Malgré tout, le moraliste, l'exégète, le limier en lui n'était pas encore réduit au silence. Le cas était grandiose, médiéval ! Dieu, si Sanchez l'avait connu, que n'en aurait-il pas tiré ! Il entendait toujours à ses oreilles retentir ces cris : « Le diable et sa fiancée ! Le diable et sa fiancée ! » Non, il était vraiment fier que ses élèves eussent trouvé une telle expression ! Puis il se tourna vers la Première et, debout devant elle, il dit : « Il faut régler cette affaire en deux temps : d'abord calmer et conforter les hôtes du couvent, ensuite faire la lumière sur le cas lui-même, punir les coupables sans s'occuper de l'attitude qu'elles prendraient et sans égard pour Mme la supérieure. » L'abbé souligna la dernière partie de sa phrase, se faisant ainsi de la Première, à laquelle il voulait du bien de toute façon, une alliée solide. En ce qui concernait la première partie de la tâche, les élèves devraient, après la récréation de midi, rester dans leurs classes et suivre normalement les cours. Pour la deuxième partie, pour l'explication de l'énigme que posait le cas, il désirait savoir de la bouche de la Première jusqu'où pouvaient aller les caresses, les indécences, les jeux de mains qui ont cours chez les filles, s'il en était question en confession, si cela se passait chez les jeunes ou chez les plus âgées, comme Alexina. Et que pensaient les élèves elles-mêmes de toute cette affaire ? Était-ce une tentation venant de l'intérieur ou de l'extérieur ? etc. etc. Cette affaire, ajouta Monsieur, plein d'un beau zèle, a la plus haute signification scientifique et moralo-théologique.

Mais la Première, qui avait à peine dépassé la trentaine, se contenta de baisser son visage pâle sur son scapulaire et croisa les bras sur sa poitrine sans répondre. « Mon Dieu, fit l'abbé, quelque peu irrité, si vous ne voulez pas parler, je m'adresserai à la supérieure. » La phrase fit son effet. « Que Monsieur me pose des questions, dit-elle, j'y répondrai comme je pourrai.

— Est-ce que les jeunes filles couchent d'ordinaire ensemble ?

— Ce n'est pas habituel, mais cela arrive souvent.

— Pour quoi faire ?

— Beaucoup parmi les petites ont peur de dormir seules.

— Est-ce qu'elles en viennent à des attouchements ?

— À ceux qu'elles ne peuvent éviter.

— Sont-ils de nature sensuelle ?

— Chez les grandes ce n'est pas exclu, mais elles couchent rarement ensemble.

— Est-ce que dans ces couchages à deux il se produit des enlacements, des étreintes ?

— Je ne l'ai jamais constaté. Mais il y a des filles au cœur doux, enfantin, qui même de jour se pendent au cou de leur amie, les embrassent, les caressent.

— Mais vous, sœur première, tenez-vous ces pratiques pour inspirées par le diable ?

— Pas le moins du monde.

— À quoi l'attribuez-vous ?

— Aux sentiments, aux tempéraments.

— Est-ce qu'ils peuvent être entachés par le péché originel ?

— Sans doute. Mais faire le départ entre ce qui est humain et ce qui est diabolique dans notre nature est plus facile à Monsieur, qui a de la sagesse, qu'à moi.

— Est-il courant que des filles se passent mutuelle-ment la main sous les jupes ?

— Passer la main, non, mais regarder.

— Mais comment est-ce possible ?

— Chez les petites qui portent des robes courtes, quand elles montent l'escalier par exemple.

— Quel but ont-elles en tête ?

— Les filles sont curieuses de savoir ce que portent leurs camarades, si leur linge est négligé ; elles aiment s'accuser mutuellement ; si par exemple Cécile découvre chez Claire des sous-vêtements défectueux, un bas rac-commodé, elle va raconter à ses amies que Claire porte des jupons déchirés et des bas troués. Si Claire s'est aperçue de son geste, elle va à son tour dire à tout le monde que Cécile regarde sous les jupes. C'est là cou-tume de filles, tout cela n'est que bavardages.

— Est-ce que cela arrive aussi chez les grandes comme Henriette et Alexina ?

— Sous d'autres formes et par intérêt pour la toi-lette.

— En viennent-elles à des attouchements ?

— Oui, les inévitables.

— Ont-elles vraiment l'intention de porter la main sur les diverses parties du corps ?

— Les filles se vantent volontiers de la beauté, de la perfection de leur corps, les autres veulent alors se convaincre *de visu*, et voilà comment elles en arrivent à s'examiner mutuellement sur toutes les coutures.

— Croyez-vous que ce soit là le résultat d'une inspi-ration diabolique ?

— Ce n'est pas à moi d'en décider. Et d'ailleurs les filles portent en ces occasions des sous-vêtements de futaine, de shirting, voire de mousseline.

— Mousseline, tulle, voilà justement ce que le diable adore !

— Alors le danger est très grand, car Henriette possède quantité de toilettes raffinées et précieuses. »

La conversation s'arrêta là. L'abbé n'était pas plus avancé. Il voulait savoir si les relations d'Henriette et Alexina étaient d'origine sensuelle ou diabolique, si elles relevaient plus ou moins du tribadisme ou si elles n'étaient que l'expression excessive d'une amitié passionnée, d'un accord des âmes. La Première n'avait pu le lui dire parce qu'elle ne le savait pas elle-même et parce qu'en ce domaine les expériences étaient très rares. Dans le premier cas, Monsieur était décidé à ce que la Maîtresse — malgré son excellente qualification par ailleurs — fût arrêtée et Henriette éloignée. Dans le second cas, une simple petite punition ferait l'affaire.

Pendant ce temps Henriette et Alexina étaient restées chez Madame, où avaient lieu des conversations non moins passionnées. Au café, la supérieure descendit chez l'abbé. Elle déclara qu'il fallait absolument faire quelque chose pour sauver la réputation du couvent vis-à-vis de la noblesse régionale. On pouvait, certes, confisquer les lettres, par exemple, mais au cours des visites dominicales où les parents venaient chercher leurs enfants en voiture, l'affaire ne s'en ébruiterait pas moins, s'enflerait et se déformerait. Monsieur fit part de ses scrupules moralo-théologiques. La supérieure répondit quelque peu aigrement que les gens ne comprenaient pas plus qu'elle les distinctions scientifiques, il s'agissait d'abord de couper court à tous les cancans. Elle songeait à éloigner les deux filles du couvent pour un certain temps. L'abbé y était fermement opposé. Par là, dit-il, on avouerait une honte avant qu'elle ne fût prouvée. De toute façon il souhaitait entendre Alexina. Madame, piquée, répondit qu'il le pouvait et qu'en attendant, pour soustraire sa nièce à d'autres injures, elle la mettrait chez le curé du village. Sans attendre de réponse, elle quitta l'abbé.

Quelques minutes plus tard, la Maîtresse, les yeux humides, entrait à son tour dans la pièce. Elle se jeta aux pieds de Monsieur, pleurant et sanglotant. « Ah, mademoiselle, commença l'abbé, vous avez déjà infligé à notre couvent, un grand, un incalculable dommage moral — et je pense que vous avez un péché beaucoup plus grand encore sur la conscience. — Mon père, repartit Alexina sur un ton d'insistance et en regardant l'abbé de ses grands yeux brillants, mon amour pour Henriette est pur comme la neige de l'Hébron ! mes sentiments sont des colombes qui ne connaissent pas le mal ! » Ces paroles ne laissèrent pas que d'étonner grandement l'abbé, dont l'âme sublime n'était point insensible aux tournures poétiques. Toutefois cette protestation idéaliste lui parut, en tenant compte de toutes les lascivités découvertes au grand jour, aussi mal venue qu'un coup de poing sur la figure. Il ne put s'empêcher d'ajouter : « Mais que dire des embrassades entre Henriette et vous ? — Ah, mon père, reprit Alexina sur le ton du plus pur enthousiasme, c'est vrai j'admirais Henriette, son corps, ses yeux, ses cheveux, sa voix, son allure, bref tout en elle, et aussi ses bas, ses souliers, en somme tout ce qu'elle était, et tout ce qu'elle portait ! Et parce que je ne suis rien moi-même, que je n'ai rien et que je ne lui suis semblable en rien ! En revanche, Henriette admirait, je crois, mon esprit, mon énergie, mes connaissances, enfin mon âme — le peu que j'ai reçu de Dieu. Certes, nous avions des contacts chaque fois que c'était possible, elle avec mon âme, moi avec son corps, et cela avec une ardeur... mon père ! jamais deux jeunes filles ne se sont aimées ainsi ! Et l'ardeur, mon père, n'est-elle pas permise dans l'amitié, dans l'amour, comme dans les regrets et dans l'adoration de Dieu ? » Alors là l'abbé fut soufflé — cette jeune fille était plus forte que lui ! « Et les sentiments bas, inconvenants, le désir du péché ne se sont-ils jamais glissés dans votre âme, ma fille ? » demanda l'abbé avec une certaine insistance. « Seul l'enthousiasme, s'écria Alexina en levant les deux bras d'un geste éperdu, rien que l'enthousiasme, que Dieu lui-même a implanté dans notre âme ! — C'est bien, dit l'abbé en relevant la jeune fille qui était toujours à genoux, c'est bien. Nous espérons que tout s'arrangera pour le mieux — Dieu aura toujours soin de ton âme ! » Alexina remonta chez Madame et dès lors tout sembla devoir prendre une tournure satisfaisante.

Cependant, dès quatre heures, la Première se présenta avec un paquet de lettres que l'on avait confisquées à Henriette au moment où elle vidait en cachette son pupitre pour emporter lesdites lettres chez le curé. On reconnaissait l'écriture d'Alexina. Peut-être que leur contenu allait contribuer à éclairer les rapports entre les deux filles ? Monsieur ouvrit les lettres et lut. Il lut longtemps et à la fin il ne savait plus où il en était. Il lisait ces lettres comme si elles avaient été de Liguori ou des Pères de l'Église. Monsieur était bien trop délicat, trop expérimenté, trop classique, d'esprit trop fin pour ne pas reconnaître le précieux philtre qui se dégageait de ces lettres et l'enivrait. C'était bien là le bon style français qu'on avait admiré chez Alexina et qui l'avait qualifiée dès l'abord comme professeur, sinon comme écrivain. C'est donc de ces épanchements passionnés que ce style avait jailli, c'est-à-dire en fin de compte d'un penchant tout ce qu'il y a de temporel ! Or Alexina s'en rapportait toujours à Dieu. On trouvait par exemple des passages comme celui-ci : « Tu veux me fuir, Henriette, tu crains mes yeux lorsqu'ils s'éteignent et le son de ma voix quand elle devient sèche. Ne sais-tu pas qu'il est trop tard ? Ne sais-tu pas que tu es entre mes mains comme la cire entre les mains du sculpteur ? Que tu dois aimer la malheureuse fille nommée Alexina parce que tu es riche et moi si pauvre ? Ne crains-tu pas Dieu ? Ne crains-tu pas de devenir horriblement malheureuse si tu repousses la pauvre petite villageoise Alexina, que tu aimes et qui t'adore ? N'avons-nous pas tout quand nous sommes ensemble ? Est-ce que chacune de nous ne serait pas totalement démunie si elle était seule ? Tu vois mes faibles, mes maigres bras — mais toi, n'as-tu pas des bras pleins de volupté ? Tu caresses mon corps maigre et tu trouves ma poitrine flétrie — mais toi n'éclates-tu pas de vie, n'as-tu pas des seins gonflés de lait et de sang ? En mesurant mes jambes tu ne trouves que béquilles d'une faiblesse enfantine — tes cuisses, elles, ne sont-elles pas aussi fortes que des colonnes de marbre, et tes genoux gracieux comme des œufs de perdrix ? Ton âme sommeille souvent et ta mémoire ne veut rien retenir, mais moi, n'ai-je pas la force de l'âme ? Je te connais et je me connais par cœur ! Tu ne t'es guère développée, tu parles comme un enfant. Mais n'ai-je pas dépassé toutes les autres et ne t'ai-je pas attirée à moi ? N'es-tu pas la colombe, ne suis-je pas le vautour qui fond sur toi ? Et tu as peur de moi, de moi qui peux seule te sauver ! Vas-tu te jeter dans les bras répugnants d'un homme chez qui ne règnent que férocité, vulgarité, lubricité ?... »

Dans une autre lettre on trouvait encore ce passage :
« Tu me fuis, puis tu cours après moi, tu penses que je
suis différente des autres filles du couvent — tu devrais
me haïr parce que j'ai exigé certaines choses de toi,
exercé des violences qu'une bonne fille ne doit pas tolérer — et pourtant il faudra que tu les subisses encore !
Les réglements du couvent, Henriette, ce qu'on appelle
les règles de la décence, ne peuvent servir d'échelle ni
de limite à nos sentiments. Et ce que nous avons fait,
attouchements, baisers interdits, embrassements, épanchements, ce que nous avons fait en secret, tout cela
en vérité n'est rien ! Ce n'est pas ce que nous voulions
vraiment ! Cela n'était que symboles puisque nous ne
pouvions pas nous exprimer par des paroles — ainsi le
geste des mains jointes n'est-il que le symbole de ce qui
se passe en nos cœurs. Ce qui se cache par-derrière tout
cela est quelque chose de tout différent, d'inexprimable.
Ce que nous sentons, Henriette, toi et moi, lorsque nous
nous regardons ou que nous pensons l'une à l'autre
est inexprimable ! Ce que nous faisons ensemble et qui
contrevient aux règles du couvent, est en regard de cela
purement secondaire, ce n'est qu'une forme d'expression, une explosion qui pourrait se manifester diffé-
remment et qui s'est manifestée ainsi par hasard. Ton
amour, Henriette, est tout pour moi. Si tu en es sûre,
alors accroche-toi bien à moi, je te protégerai… »

Enfin, dans une troisième lettre, on pouvait lire :
« Comment les hommes viennent-ils au monde ? Nous
le savons maintenant, car je t'ai instruite ! Mais tout ce
qui accompagne cet acte et le précède, n'est-ce pas le
résultat d'obscénités, de puanteurs, de vomissements,
de respirations mélangées, de regards hébétés, d'atti-
tudes horribles ? Ici les actes extérieurs sont affreux et

le sentiment divin réduit à sa plus simple expression.
Tandis que nous, Henriette, les formes de nos rapports
sont délicates, douces, légères, réduites au minimum
— mais notre sentiment est profond, l'impulsion divine
est gigantesque ! Oh, je pourrais saisir le monde entier
du tréfonds de mon âme, l'enlacer, l'absorber tout
entier ! Et toi, Henriette tu n'es qu'une petite figure à
l'image de ce monde, une figure indiciblement belle, un
petit poisson brillant dans le grand océan... »

Il était déjà cinq heures quand l'abbé eut achevé sa
lecture. Il savait bien qu'il se trouvait en face d'un cas
extraordinaire, d'un événement rare. Ces rapports entre
filles remontaient à plusieurs mois, ils avaient mûri lentement, ils avaient grandi comme un nid de guêpes, cellule par cellule, jusqu'à devenir maintenant une sorte de
ruche énorme. La Maîtresse en était l'architecte, le créa-
teur, l'initiateur, tandis qu'Henriette s'était bornée à un
rôle passif. Mais ce que Monsieur n'arrivait pas à s'expliquer, c'était jusqu'où les rapports physiques étaient allés
dans la vie érotique des deux jeunes filles, dont le côté
spirituel s'étalait dans les lettres enthousiastes, exaltées
d'Alexina. Ne fallait-il pas supposer ici une intervention
du diable, une intervention cachée et pleine d'astuce ?
Qu'Alexina fût une nature naïve, quoique démoniaque,
qu'elle se targuât de la profondeur, de l'authenticité de
ses sentiments, et qu'elle demeurât encore innocente
et pure, là-dessus il n'y avait aucun doute. Mais que
fallait-il faire maintenant ? Punir, renvoyer, séparer ces
deux êtres ? Monsieur n'arrivait pas à prendre une décision. Quant à renoncer à un talent aussi éclatant que
celui d'Alexina, il ne voulait pas y songer.

La soirée avançait. Les élèves avaient encore une
demi-heure de récréation avant les deux heures d'étude

qui terminaient la journée. Il régnait chez elles un bour-
donnement de ruche. Si on leur avait recommandé de
ne pas importuner davantage l'abbé avec leurs opinions,
leurs observations, elles n'en échangeaient que mieux
leurs avis entre elles, entre vraies amies ou avec les
sœurs. L'envoi d'Henriette chez le curé du village avait
pour elles confirmé toutes leurs suppositions. On savait
aussi que la Maîtresse, en qui toutes voyaient le véritable *actor rerum*, se trouvait encore chez la supérieure.
Et par conséquent toutes les discussions, toutes les
combinaisons se concentraient sur sa personne. Mais
il y avait pire. L'éloignement d'Henriette avait fait que
maintenant tout Beauregard participait aux discussions
et qu'il y avait là occasion de les alimenter. La première
conséquence de cette situation fut que vers la fin de la
récréation, à cinq heures et demie environ, une des servantes vint frapper à la porte de l'abbé, en compagnie
de la Première qui avait exigé d'elle cette démarche.
L'abbé les fit donc entrer et la servante lui fit le rapport
suivant.

Cet après-midi elle avait conduit Henriette chez le
curé, auquel elle avait remis une lettre de Mme la supérieure. À son retour elle s'était vue entourée par plusieurs personnes du village ; on lui donna à entendre
qu'on savait que des choses extraordinaires s'étaient
passées au couvent. Comprenant qu'il n'y avait plus
de vrai secret à tenir, la servante avait reconnu qu'il
s'était effectivement passé certaines choses. Les femmes
avaient été jusqu'à prétendre que la belle Henriette
— ainsi la nommait-on au village — était une bonne et
brave fille, bien comme il faut, mais que Mlle Alexina,
elle, avec son allure fière, ses épaules carrées, sa voix
profonde, ses joues creuses et ses sourcils broussailleux,

était une personne fort douteuse — que le Seigneur Dieu veuille en protéger le couvent ! Là-dessus un homme de grande taille, le teint hâlé, avec une longue barbe, et portant une hache sur l'épaule, après avoir écouté sans rien dire, avait raconté ce qui suit : « Il y a quelques semaines, dans une de mes tournées — je suis garde forestier — j'ai entendu des gémissements au milieu d'un fourré, loin de la grand-route ; m'étant approché, je me suis trahi en cassant quelques rameaux, mais j'ai entendu une voix de femme qui gémissait et une puissante et profonde voix d'homme qui la calmait. Après avoir écarté les dernières branches, quel n'a pas été mon étonnement de voir deux filles se lever d'un bond — c'est donc qu'elles étaient couchées ! Celle qui avait la voix claire devait être en dessous car elle n'avait pu se lever aussi vite que l'autre ; sa position, l'état des lieux, tout indiquait qu'elle n'avait pas été étendue auprès de son amie. Les deux filles étaient nues dans la partie inférieure de leur corps et n'avaient pu remettre assez vite leurs vêtements en ordre pour me cacher ce détail. J'ai aussi remarqué que la plus grande, la plus svelte, avait des jambes fortement poilues. Elles sont alors parties et je ne les ai pas suivies. »

Alors, tous les assistants, et elle aussi, la servante, avaient prié le garde de se rendre à proximité du couvent pour le cas où M. l'abbé désirerait l'entendre. Maintenant, que Monsieur fasse comme bon lui semble.

Après ce récit l'abbé congédia la servante ; il voulait se concerter seul avec la Première. La conversation n'avait pas encore duré vingt minutes — au cours desquelles Monsieur avait montré à la Première divers passages de livres en français et en latin, en lui donnant la traduction, qu'une deuxième sœur entra toute bouleversée pour dire que des centaines de personnes s'étaient rassemblées devant le couvent, munies de fourches et de haches, montrant le poing vers les bâtiments, lançant des malédictions et hurlant que le diable était dans le couvent. L'abbé se demanda d'abord ce qu'il allait faire devant ce nouvel état de choses, puis il donna l'ordre à la deuxième sœur d'aller tout raconter à Madame et la prier de venir. Se tournant vers la Première, il lui dit : « Le mieux serait encore de faire entrer le garde forestier avec sa hache, de façon à calmer la foule. » Mais la Première se heurta en chemin, près du grand portail, au curé de Beauregard qui arrivait en toute hâte chez l'abbé. Elle fit donc demi-tour. Le curé, tout excité, demanda aussitôt : « Que s'est-il passé ? La moitié du village est devant ma porte et m'a conjuré de venir au couvent : un incube, ou le diable lui-même, a violé dans les bois la belle Henriette, la nièce de Madame, ou essayé de la violer. Pour ce faire il a pris les traits d'un professeur du couvent que tout le monde appelle la Maîtresse. Il faut la faire avouer, et au besoin l'exorciser. Voilà pourquoi je suis venu vous voir en toute hâte. » Tandis que l'abbé mettait rapidement son confrère au courant des péripéties de la journée, on entendit les élèves monter et descendre les escaliers en trombe et crier : « Le diable et sa fiancée ! Le diable et sa fiancée ! » D'autres récitaient, en scandant les mots, une chanson toute fraîche inventée :

> *Le diable est triste*
> *Et a bien peur-re*
> *Il a perdu sa fiancée*
> *Et craint la supérieure.*

Sur ces entrefaites Madame apparut, tremblante d'énervement. Elle raconta que les élèves étaient sorties brusquement des classes comme sur un signe collectif et s'étaient mises à crier : « Le diable est dans le couvent ! » Ensuite elles avaient voulu faire sortir Alexina de sa chambre. La supérieure était maintenant convaincue que toute l'affaire n'était qu'un complot dirigé contre elle. Le diable avait aussi peu affaire avec tout cela qu'avec elle-même ! Les deux ecclésiastiques prirent une mine indécise. Pour apaiser toute cette folie d'un seul coup, continua Madame, je propose que le médecin du village vienne examiner Alexina chez moi, en ma présence. Si on trouvait sur son corps des marques, des stigmates de possession — ce dont je doute fort ! — on pourrait voir alors s'il ne faut pas éventuellement recourir à l'exorcisme. Mais s'il s'avère — comme je le crois fermement — qu'Alexina est une jeune fille impeccable et intacte, qu'elle ne présente ni marques, ni stigmates, alors il faudra demander des comptes à ceux qui ont inventé cette fable et l'ont sciemment répandue, et il faudra sévir. Tout le monde se déclara d'accord. Seulement, opina le curé, il faudrait permettre au garde qui est en bas en train d'exciter les gens, de voir Alexina sans être vu d'elle, de façon à rassurer tout le monde ; en effet le témoin ne serait pas suspect s'il ne reconnaissait pas la jeune fille. Là encore tout le monde donna son accord. Pour ce qui est du personnel du couvent, on décida que toutes les élèves se réuniraient sans bruit dans le réfectoire sous la surveillance des sœurs, jusqu'à ce qu'on puisse faire connaître le résultat de l'enquête.

Sept heures sonnèrent. Au cours des deux heures précédentes on eût dit que le diable était vraiment déchaîné, l'ordre et la discipline avaient disparu du couvent. Les mesures qui allaient être prises maintenant eurent sur tout le monde l'effet d'un calmant. Le curé se rendit à l'église de Beauregard, pour tenir prêts monstrance et ciboire. En route il calma en quelques mots tous les gens qu'il rencontra. Le crépuscule étant tombé, les gens rentrèrent chez eux. On envoya la Première chez le médecin et Madame prépara sa réception. Monsieur avait également déjà averti son sacristain de tout tenir prêt pour l'exorcisme. Il tira lui-même les directives y afférentes de son *Ordinale* et se renseigna dans la *Daemonomania* de Bodinus sur les stigmates corporels résultant d'un pacte avec le diable. Les élèves prirent alors leur souper au réfectoire. La nuit tombée, au lieu de les tranquilliser, leur avait insufflé crainte et angoisse. D'un commun accord elles demandèrent qu'on laisse le dortoir allumé pendant la nuit. Entre-temps le garde forestier était redescendu et avait affirmé que la femme qu'il venait de voir par l'entrebâillement de la porte chez Mme la supérieure, et qui avait les yeux gonflés de larmes, était bien l'incube qu'il avait vu étendu sur Henriette.

Il était huit heures et demie lorsque le médecin se présenta. C'était un homme jeune encore, qui avait fait à Paris d'excellentes études. Il arrivait d'une tournée dans le village voisin et à son retour il avait appris cette étonnante histoire. Le couvent avait allumé ses lumières, dans les couloirs et les escaliers régnait un profond silence. Le médecin déclina la proposition de l'abbé, de consulter avec lui la liste des stigmates donnés par Bodinus. Sur quoi la Première l'accompagna sans plus tarder au deuxième étage. Madame reçut le médecin avec la plus grande prévenance dans le salon magnifiquement illuminé et décoré qui faisait partie de ses appartements. Dans la pièce attenante, dont la porte était à demi ouverte, ne brûlait qu'une chandelle. C'est là qu'Alexina, demi-nue sur le rebord du lit, attendait le médecin. Celui-ci n'échangea que quelques paroles avec Madame et pénétra dans la pièce, laissant la porte à demi ou aux trois quarts fermée, selon les indications qu'on lui donnait. Alors, malgré le bruit que faisait Madame en tournant les pages de son livre, pour s'étourdir et rompre le silence, on put entendre un bref murmure de formules de politesse, quelques questions et réponses rapides. Les deux voix avaient un timbre profond, mais celle du médecin était plus nette, plus claire, celle d'Alexina plus sourde. La lumière changea de place, en sorte qu'elle ne tombait plus sur l'ouverture de la porte. On entendit un ordre puis un froissement d'habits qu'on défait. Arrêt. Nouvel ordre — refus, ordre réitéré sur un ton plus ferme, puis un soupir et de nouveau des vêtements qui glissent, un bruit de pieds nus sur le plancher, une première, puis une seconde fois ; encore un léger froufrou, puis quelque chose comme le frottement d'une peau sur une autre. Alors on entendit une voix dire : « Ah, c'est cela ! C'est cela, oui. » Longue pause, nouvel ordre ; on entend un grincement de châlit et quelqu'un s'étendre sur un matelas ; les ressorts geignent. La voix, tranquille, donne encore un ordre, puis le répète avec plus de vigueur, enfin exige qu'on s'exécute, d'un ton maussade mais pressant. Gémissements de l'autre côté.

« Ah, vous me faites mal, monsieur ! » explosa soudain Alexina. Réponse assourdie du médecin, respiration forte indiquant un travail appliqué, difficile. Alors Alexina se mit à sangloter sans retenue, mais sans cris de douleur ; ses larmes semblaient intarissables, elle s'abandonnait sans forces, sans volonté, désespérément. La voix du médecin s'adoucit ; il exprima ses regrets. Le point culminant de l'examen devait être dépassé et la solution trouvée — mais elle paraissait peu réjouissante. Cependant il se passa encore un long moment avant que ne fussent terminées les dernières manipulations. Après le cri d'angoisse d'Alexina, Madame avait cessé de feuilleter son livre ; elle prêtait l'oreille, retenant son souffle, debout devant la porte. À l'intérieur de la pièce les soupirs se firent plus faibles, les larmes cessèrent pour faire place à une sorte de plainte suivant le rythme de la respiration. Enfin, sur un temps très long — une heure s'était écoulée — on entendit le bruit de l'eau versée dans une cuvette et aussitôt après le médecin apparut, une serviette à la main, le visage quelque peu bouleversé. La supérieure fit mine de poser une question. « C'est un cas bien triste, madame, fit le médecin d'une voix assourdie, il me faut faire un rapport complet que j'espère pouvoir remettre à M. l'abbé dès demain matin. En attendant je vous conseillerais d'envoyer dès que possible — mais c'est peut-être un peu tard aujourd'hui — *le jeune* Alexina chez le curé du village et de reprendre chez vous Mlle Henriette. »

Sur ces paroles le médecin prit congé, déclara au sacristain qui attendait en bas qu'il n'y avait lieu à aucune opération religieuse et, traversant le couvent où régnait un silence de mort, il rentra chez lui.

Il était alors onze heures. Tout le monde dormait — ou plutôt personne ne dormait ! Qui en effet aurait pu dormir après une pareille journée ? Les sœurs vêtues de leur longue chemise blanche allaient de lit en lit pour tranquilliser les petites qui avaient toutes une terrible peur du diable. Les lampes brûlaient toujours. La Première elle-même passa d'un dortoir à l'autre pour ne pas laisser s'installer le désordre et la panique. Elle savait qu'elle avait gagné.

En bas, l'abbé veillait, étendu sur son lit. Le sacristain lui avait rapporté que rien n'indiquait la nécessité d'un exorcisme. L'abbé en fit informer le curé et, après avoir convenu de quelques mesures avec la Première, il s'était mis au lit. Il n'y avait pas lieu de recourir aux exorcismes ! Alors, ces nouveaux médecins s'imaginent qu'ils peuvent remettre de l'ordre dans le monde sans le secours des hommes d'Église ? Et quand bien même elle n'aurait pas montré de stigmates, que se passait-il chez Alexina ? Si le diable s'était seulement servi de son fantôme, de son enveloppe matérielle, d'après tous les exorciseurs du Moyen Âge il était impossible qu'il ne laissât pas de traces ! Mais si le diable n'était pas de la partie, Henriette et la Maîtresse avaient manifestement joué un jeu criminel, commis un horrible péché contre Dieu ! Oui, il se souvenait maintenant : au printemps Henriette avait obtenu de Madame l'autorisation exceptionnelle d'aller cueillir du muguet l'après-midi avec Alexina ; il les avait vues revenir avec des bouquets dans les mains, les yeux brillants de fièvre. Mais alors, où en était-on après avoir constaté l'absence de stigmates chez la Maîtresse ? Il n'y comprenait rien. En somme la chose n'avait pas avancé d'un pas, et finalement c'était encore aux ecclésiastiques à résoudre le problème ! Telles étaient les pensées qui occupaient M. l'abbé.

Au deuxième étage, Madame reposait. Elle avait de noirs pressentiments, c'en était peut-être fait de sa situation de prieure au couvent ! Depuis ce soir, à six heures, lorsque les paysans brandissaient leurs fourches devant la porte du couvent, cherchant le diable sous les traits d'un professeur de la maison, il était clair que tout allait retomber sur elle. Cette fois la Première avait bien ourdi sa trame et jeté de l'huile sur le feu au bon moment, ce feu qu'au matin encore on eût pu éteindre sous son soulier. Mon Dieu, deux filles dont les caractères se complètent au physique et au moral, qui couchent ensemble et se caressent — qu'y avait-il à redire à cela ? Sans doute cette Alexina était une étrange créature et les paroles du médecin indiquaient bien qu'il fallait s'attendre chez elle à quelque chose de très spécial.

Dans la chambre attenante, Alexina était étendue sur sa couche. Hier encore elle était admirée pour ses éclatantes capacités intellectuelles, on lui rendait les honneurs en l'appelant la Maîtresse, maintenant elle n'était plus qu'une créature gémissante, touchée à mort ; ses secrets les plus intimes allaient être révélés à tout le monde par le médecin, elle était clouée au pilori comme une femme diabolique, et privée de sa force vitale — privée d'Henriette ! Ce soir, pendant que le médecin l'examinait, elle avait clairement compris qu'elle était un cas tout à fait extraordinaire. Commençant par la tête, il avait tout mesuré, fait des constatations précises, puis il avait examiné ce que tout le monde cache honteusement, lui causant une douleur si atroce qu'elle avait crié. Alors elle s'était mise à réfléchir ; elle savait bien qu'elle n'était pas entièrement faite comme les autres filles, comme Henriette par exemple ; mais elle n'y avait pas pris garde ; est-ce que les autres n'étaient pas différentes en d'autres domaines ? N'avait-elle pas un nez aquilin, et telle autre un nez retroussé, la troisième un nez droit ? Celle-ci avait une vilaine bouche charnue et celle-là une bouche aux lèvres fines, on aurait dit un bourgeon, comme les lèvres d'une statue. Celle-ci avait une poitrine plate et celle-là une poitrine plantureuse.

Celle-ci n'était-elle pas sotte et celle-là intelligente ?
Qu'est-ce qu'elle avait donc, elle, Alexina, de particulier ?
Ce petit rien, dont Henriette avait si souvent ri ? Il fallait
bien qu'il y eût quelque chose là, sinon d'où serait venue
cette terrible douleur ? Ainsi gémissait et sanglotait la
pauvrette tout en continuant à rouler ses pensées.

La nuit recouvrait encore de son manteau le couvent,
les gens et leurs pensées. Mais le soleil brûlait déjà de
faire irruption pour éclairer cette épouvantable affaire
et pour en graver dans chaque cerveau, dans chaque
conscience la solution en lettres de feu.

Sept heures sonnèrent. Le soleil brillait par les vitres
du cabinet de travail de Monsieur, le petit déjeuner était
déjà servi sur le bureau et Monsieur lisait encore une
fois les *Theologiae moralis libri sex* de Liguori. Rien sur
son visage n'indiquait l'inquiétude ou la détente. L'incident de la veille n'avait pas laissé de trace nerveuse ; ses
traits avaient le même calme olympien et sublime que la
veille. À cet instant on frappa à la porte. « Entrez ! » cria
Monsieur. La concierge apportait un pli de grand for-
mat qu'on venait de lui remettre. Monsieur l'ouvrit aussitôt en déchirant un coin au-dessus du pain à cacheter,
déplia un papier épais et lut ce qui suit :

*Beauregard 21 juin 1831*

*Adolphe Duval, médecin agrégé de la Faculté de Paris,*

   *à Monsieur de Rochechouart à Douay*

   *Monsieur,*
*En ce qui concerne le résultat de l'examen corporel
fait hier soir sur Mlle Alexina âgée de dix-huit ans, j'ai
l'honneur de vous faire savoir ce qui suit :*

*Alexina qui, en tant que fille, est d'une taille particuliè-
rement grande, doit être comptée en tant qu'homme au
nombre des hommes grands. Son visage maigre témoigne
d'une grande intelligence ; son regard convergent est sans
aucun doute de type masculin ; des arcades sourcilières
très proéminentes surplombent des yeux vifs et intelli-
gents ; pas de trace de barbe ; ses cheveux sont un peu plus
longs que la normale mais loin d'atteindre la longueur des
cheveux de femme. La voix d'Alexina est un alto. Tout
son corps est svelte, musclé, dénué de coussins graisseux.
Dans la partie supérieure il montre des caractères féminins, peau fine, faible formation de la* mamma, *pourvue
d'un mamelon féminin. La partie inférieure frappe dès
l'abord par sa pilosité abondante, noire et de caractère
masculin ; elle révèle également dans sa disposition générale un caractère masculin. Les cuisses jusqu'aux genoux
ne montrent pas la convergence bien connue chez les
femmes. Si les mains sont petites, en revanche les pieds
sont grands et forts. Au premier coup d'œil, aussi bien
qu'après mensuration, les hanches montrent une absence
totale d'évasement latéral et indiquent une disposition
générale du bassin de caractère tout à fait masculin. Le*
mons veneris *est fortement poilu et recouvre au premier coup d'œil l'appareil génital. Celui-ci présente des*
labia majora *légèrement ouvertes et gonflées, derrière
lesquelles apparaissent des* labia minora *peu dévelop-
pées. L'*introitus vaginae *est si étroit et sa pénétration
est si douloureuse qu'il se termine sans aucun doute par
un cul-de-sac, et ne se prolonge pas par un utérus — à
moins qu'il existe un utérus fort rudimentaire, impropre
à l'ovulation et à la menstruation. En revanche les* labia
minora *entourent dans leur partie supérieure un corps
charnu, dont l'extrémité est perforée, et qui s'avère être*

*un* membrum virile *caractéristique. Il est capable d'érection, bien qu'il soit empêché d'atteindre son plein développement par un* ligamentum *tendu qui part des* labia minora. *La perforation n'est autre que la sortie de l'urètre, dont l'autre extrémité débouche dans la* vesica urinalis. *On ne découvre nulle part de testicules, ils semblent être demeurés dans l'abdomen. — Ainsi donc, Alexina est un être hybride, hermaphrodite. Étant donné qu'au cours de l'examen il y a eu* ejaculatio seminalis *involontaire, provoquée par une excitation psychique momentanée, et que le microscope a révélé clairement l'existence de spermatozoïdes normaux, en mouvement, on peut dire qu'Alexina est un hermaphrodite mâle. C'est donc un homme, et qui plus est, un homme capable de reproduire.*

*Étant donné les devoirs qui m'incombent, j'ai déjà informé les autorités compétentes pour qu'elles apportent le changement nécessaire dans la liste matricule du lieu de naissance d'Alexina et je laisse aux bons soins de Votre Éminence les autres démarches à entreprendre pour un changement définitif dans l'état civil d'Alexina.*

*Avec ma considération dévouée.*

*Signé :* ADOLPHE DUVAL

Le jour même Alexina fut ramenée chez ses parents. Mlle Henriette de Bujac, revenue au couvent, se vit obligée au bout de six mois environ de quitter l'établissement ; on l'envoya chez une tante qui habitait une campagne éloignée.

Avec elle, Mme la supérieure quitta définitivement le couvent et la sœur première fut promue supérieure.

# Le vrai genre

par Éric Fassin[1]

« [U]n genre de vie qui n'était plus le
mien » (75)[2].

*à L.*

Il n'a pas dû être bien difficile, pour un habitué de
la Bibliothèque nationale tel que Michel Foucault, de
découvrir l'« Histoire d'Alexina B. » : à l'époque du premier volume d'*Histoire de la sexualité*, paru en 1976,
pareille trouvaille ne devait rien au hasard. Un médecin
légiste, Ambroise Tardieu, avait le premier publié en
1874 ce manuscrit, dont on a depuis perdu la trace,
dans la deuxième édition de son ouvrage sur la *Ques-*
*tion médico-légale de l'identité* : « Souvenirs et impressions d'un individu dont le sexe avait été méconnu ».
Son analyse s'appuyait sur les rapports médicaux de
Chesnet, qui avait autorisé le changement de sexe en

1. Éric Fassin, sociologue, est professeur au département de science
politique et au centre d'études féminines et d'études de genre, Paris-VIII-
Vincennes-Saint-Denis, et chercheur à l'IRIS et au LabTop/Cresppa. *(N.d.É.)*
2. La pagination indiquée entre parenthèses renvoie à la présente édition
d'*Herculine Barbin dite Alexina B.*, y compris pour la préface.

1860, et de Goujon, appelé par Régnier pour l'autopsie en 1868 (Foucault inclut l'un et l'autre dans son dossier en 1978)[1]. Or Tardieu, président de l'Académie nationale de médecine sous le second Empire, était surtout connu pour une *Étude médico-légale sur les attentats aux mœurs* maintes fois rééditée : il y contribuait (par son tableau monstrueux « De la pédérastie et de la sodomie ») à la constitution de l'homosexuel en « espèce » pathologique, dont traite une page célèbre de *La Volonté de savoir*.

## UNE QUÊTE D'IDENTITÉ

En revanche, il paraissait malaisé de retrouver l'identité (si l'on peut dire sans jeu de mots) d'Alexina B. : avec l'initiale du nom, ce prénom d'usage est le principal indice que livre la publication médicale — mais il ne figurait pas à l'état civil : Adélaïde Herculine, née en 1838, devient Abel en 1860 (Chesnet, cité par Tardieu, brouille les pistes en modifiant le deuxième prénom de naissance : Adélaïde Herminie). Le médecin explique avoir respecté « l'incognito derrière lequel l'auteur a dissimulé sa propre personne et celle des principaux acteurs qui figurent dans son récit » sous des initiales ou des pseudonymes. Si le « bon docteur » H... (qui n'est autre que Chesnet) s'exclame : « votre marraine a eu la main heureuse en vous appelant Camille » (101),

---

1. Ambroise Tardieu, *Question médico-légale de l'identité dans ses rapports avec les vices de conformation des organes sexuels*, J. B. Baillière, Paris, 1874 (deuxième partie, pp. 61-174 ; « Mes souvenirs » débute, après l'introduction, p. 63 ; la note citée au paragraphe suivant se trouve p. 112). On y trouve en note le texte de Chesnet, pp. 146-148, et un extrait de celui de Goujon, pp. 149-151. Aujourd'hui, cet ouvrage est rendu disponible en ligne par la Bibliothèque nationale de France sur le site Gallica.

l'authenticité de ce prénom épicène si commode est démentie quelques pages plus loin : « le tribunal civil de S... ordonna que rectification fût faite sur les registres de l'état civil, en ce sens que je devais y être porté comme appartenant au sexe masculin en même temps qu'il substituait un nouveau prénom à ceux féminins que j'avais reçus à ma naissance » (112).

Le compagnon du philosophe, Daniel Defert, raconte aujourd'hui la quête qui aura permis à Herculine Barbin de recouvrer à la fois un prénom et un nom. Un peu à la manière d'un roman du XIX<sup>e</sup> siècle dont le prologue relaterait la découverte du manuscrit, son récit trouve naturellement place en épilogue de cette réédition[1]. « On ne savait pas où ça s'était déroulé, on n'en avait aucune idée. » Pourtant, Foucault souhaita partir à l'aventure : « Comme il était question d'une île de l'Atlantique, en quittant Poitiers [d'où il était originaire], on a pris la route... pour faire les îles de l'Atlantique ! » En réalité, il s'agissait moins d'une enquête que d'un « repérage » : « Foucault avait très envie d'un film ; c'était une idée d'Hervé Guibert, qu'il a rencontré en 1977. Il lui avait fait lire le texte, qu'il avait découvert l'année précédente, me semble-t-il. Guibert a travaillé tout de suite sur un scénario, qu'il a proposé à Adjani. Elle voulait que le rôle de garçon soit tenu par elle, et le rôle de fille par son frère, qui apparaît dans le *Don Giovanni* de Losey : elle pensait que ce serait entre eux un jeu assez curieux... »

---

1. Entretien réalisé le 22 mai 2013, dans l'appartement de la rue de Vaugirard que Michel Foucault a légué à Daniel Defert. À celui-ci, j'aimerais exprimer toute ma gratitude pour m'avoir généreusement proposé, alors que j'appelais à la réédition de ce livre épuisé de longue date, d'y contribuer de la sorte ; à la famille de Foucault et à Pierre Nora, son éditeur, j'ajoute mes vifs remerciements pour s'être aussitôt ralliés à sa suggestion.

Bref, « on allait voir où on pourrait faire le film » (en réalité, ce projet resta sans lendemain). « Il se trouve qu'il y avait un pont pour Oléron, alors qu'à l'époque, il n'y en avait pas pour l'île de Ré. On a donc décidé d'aller d'abord à Oléron. À l'arrivée, on a laissé la voiture, et on a commencé à marcher sur la plage pendant, je ne sais pas, une heure. Et à un moment, je crois que c'est en voyant un bois de pins, Foucault dit : "C'est ici !" » Defert donne lecture du passage ainsi « reconnu » : « Le petit village est littéralement enfoui sous un océan de verdure perpétuelle, dont les racines profondes se multiplient depuis des siècles dans des montagnes de sable appelées dunes. Une immense forêt de pins s'étend le long de la côte » (58). « Foucault m'a dit : "c'était tellement bien décrit ! Il faut marcher, on va arriver sur une croix." On a marché, et on est arrivé à une croix ! » Les « souvenirs » étaient manifestement précis : « À l'entrée de la forêt, sur un monticule qui semble dominer le vaste Océan, se trouve une grande croix de pierre » (59).

Restait donc à cheminer quatre kilomètres pour arriver dans le village. « On est entrés dans une pâtisserie » (« je suis gourmand », avoue Defert dans un sourire), pour s'enquérir d'une institution catholique. La jeune pâtissière n'en gardait aucun souvenir ; elle interrogea son grand-père. « Du fond de l'arrière-boutique, il a répondu : "Mais si, bien sûr qu'il y avait une maison de religieuses, là où est le parking aujourd'hui !" Et il a ajouté : "D'ailleurs, vous en trouverez encore au Château-d'Oléron". » C'était l'école normale, tenue au second Empire par les Sœurs de la sagesse. « À l'école, on nous a indiqué les archives dans le grenier. On nous a laissés monter : une jeune femme nous accompagnait. On est tombés sur un paquet de cahiers de l'époque, et dans la première pile qu'on ouvre, on trouve des noms, des prénoms — et tout de suite les siens. C'était très émouvant... S'appeler Herculine Barbin, c'était quand même extraordinaire ! » Foucault peut dès lors compléter le dossier — et en particulier les « noms, dates et lieux » : « Le but de la promenade à T... racontée aux pages 56-61 était Saint-Trojan » (144).

## UN DOUBLE EFFACEMENT

S'il a semblé souhaitable de rapporter ces souvenirs, c'est qu'ils permettent, aux côtés de ceux d'Herculine, de redonner une place à Foucault. En effet, lui-même l'avait gommée : son nom ne figure pas sur la couverture de la première édition, en 1978 ; il signe seulement la quatrième, pour présenter une collection qui restera (presque) sans postérité : « Les vies parallèles »[1]. Seule la réédition « Folio » de 1993 indique en couverture « présenté par Michel Foucault ». Dans le dossier, celui-ci s'accorde un rôle modeste, ouvrant ainsi les deux pages écrites en son nom propre : « Je me suis contenté de réunir quelques-uns des documents principaux » (141-142). Quant à la préface, « Le vrai sexe », elle paraît seulement en 1980, avec la traduction du volume en anglais ; en français, elle est publiée la même année, de manière quelque peu confidentielle, dans la revue *Arcadie*, avant d'être reprise en 1994 dans le quatrième volume des *Dits et écrits* ; mais elle n'a jamais été incluse dans la version française d'*Herculine Barbin* avant ce jour[2].

---

1. Le second volume de ces « Vies parallèles » sera le dernier : *Le Cercle amoureux d'Henry Legrand*, Gallimard, 1979.
2. Michel Foucault, « Introduction », *Herculine Barbin*, trad. R. McDougall,

Cet effacement est remarquable — surtout en regard du dossier volumineux, à plusieurs voix, qui accompagnait la publication de *Pierre Rivière*. La comparaison s'impose d'autant plus qu'était esquissée dans ce livre de 1973 la référence aux « Vies parallèles » : « Si les paysans avaient un Plutarque, Pierre Rivière figurerait parmi les morts illustres[1]. » Les deux ouvrages correspondent bien au programme que Foucault définit en 1977 dans « La vie des hommes infâmes » : « *exempla* » inversés, des « vies infimes » qui ne sont arrachées à leur obscurité que par le heurt d'une « rencontre avec le pouvoir », et qu'il ne nous est donné de voir que dans « les jeux du pouvoir et les rapports avec lui[2] ». Ou, pour reprendre la présentation de la collection qu'inaugure *Herculine Barbin*, des vies « qui n'ont eu d'autre écho que celui de leur condamnation », dont « il faudrait retrouver le sillage instantané et éclatant qu'elles ont laissé lorsqu'elles se sont précipitées vers une obscurité où "ça ne se raconte plus" et où toute "renommée" est perdue. Ce serait comme l'envers de

---

Pantheon/Vintage, Random House, 1980, pp. VII-XVIII. Le même texte (à quelques paragraphes près) est alors publié en français : « Le vrai sexe », *Arcadie*, 27ᵉ année, nº 323, novembre 1980, pp. 617-625 ; il figure dans Michel Foucault, *Dits et écrits, IV, 1980-1988*, éd. Daniel Defert et François Ewald, avec Jacques Lagrange, Gallimard, 1994, texte nº 287, pp. 115-123. Reprise dans la présente réédition, la nouvelle d'Oscar Panizza sur cette affaire, « Un scandale au couvent », fut ajoutée à l'édition américaine ; pas plus que la préface de Foucault, elle ne le sera dans l'édition française de 1993, identique à l'originale de 1978.

1. *Moi, Pierre Rivière, ayant égorgé ma mère, ma sœur et mon frère. Un cas de parricide au XIXᵉ siècle*, présenté par Michel Foucault, coll. Archives, Gallimard/Julliard, 1973, citation de Jean-Pierre Peter et Jeanne Favret, p. 293 de l'édition « Folio ».

2. Michel Foucault, « La vie des hommes infâmes », *Les Cahiers du chemin*, nº 29, 15 janvier 1977, pp. 12-29, repris dans *Dits et écrits, III, 1976-1979*, éd. Daniel Defert et François Ewald, avec Jacques Lagrange, Gallimard, 1994, texte nº 198, pp. 237-253, citations pp. 237-241.

Plutarque : des vies à ce point parallèles que nul ne peut plus les rejoindre ».

Pourquoi s'effacer devant Herculine Barbin, si chère à Foucault, et non devant Pierre Rivière ? Peut-être la fulgurance virile de ce dernier, radicalement insaisissable, semblait-elle moins exposée à l'étouffement d'une nouvelle strate de discours savant que l'écriture presque convenue des « Souvenirs », si féminine dans son « style élégant, apprêté, allusif, un peu emphatique et désuet qui était pour les pensionnats d'alors non seulement une façon d'écrire, mais une manière de vivre » (15). En tout cas, ce choix explique en partie la relative invisibilité du livre, du moins en France — à tel point qu'il y était devenu introuvable, sa disparition éditoriale passant inaperçue alors que l'œuvre de Foucault est toujours plus disponible et visible.

À cet autre effacement, on ajoutera une raison. La préface américaine fut donnée en conférence pour le congrès annuel d'Arcadie, qui allait la publier. À partir des années 1970, ce groupe « homophile », créé par André Baudry en 1954, semblait dépassé, tant sa volonté de discrétion respectable était remise en cause par la subversion bruyante du FHAR (le Front homosexuel d'action révolutionnaire, fondé en 1971). Dans ce contexte, accepter l'invitation, c'était, explique Defert, « marquer son respect pour ce qu'Arcadie avait été ». De fait, on peut lire la préface comme une élégie pour la « monosexualité féminine » (on dirait plutôt aujourd'hui « homosocialité ») des écoles et des couvents — l'entre-soi d'un sexe, cher aux « homophiles » des mouvements d'après-guerre[1]. C'est toute l'ambi-

---

1. On retrouve la même idée dans un entretien que publie en 1982

guïté, « le clair-obscur du régime de "discrétion" » en un sens pastoral que Foucault rappelle dans ce même paragraphe : « discriminer les sentiments », « débusquer », « fouiller », mais aussi « garder la mesure », soit une discrétion indiscrète (16). Néanmoins, l'« histoire d'Alexina B. », dévoilant une identité problématique, avait de quoi déconcerter son public : « la conférence a été très mal reçue par les gens qui étaient là ; on ne leur parlait pas d'eux, mais d'une femme qui n'était pas vraiment une femme... »

Ce décalage ne concerne pas seulement Arcadie, mais tout autant son jeune rival radical, le FHAR : « la question, dans ces années, c'était l'identité », note Defert, « pas le trouble dans l'identité ». On sait que Foucault ne s'est pas plié à l'impératif alors nouveau du « *coming out* » — ce que Jean Le Bitoux, qui venait de créer *Le Gai Pied* en 1979, « prenait très mal » : avoir le courage (ou pas) de « s'assumer », ainsi se posait désormais la question. Or, pour sa part, Foucault « refusait d'entrer dans l'identité ». C'est néanmoins en termes identitaires qu'il repoussa l'enveloppe que lui tendait Baudry après la conférence : « Écoutez, un homosexuel ne reçoit quand même pas d'argent pour parler à des homosexuels ! » Faut-il y voir une contradiction ? Peut-être en réalité Foucault était-il plus proche du *coming out* à l'ancienne, pour reprendre la distinction posée par l'historien George Chauncey : avant la « libération »

*Masques*, une revue homosexuelle, à propos du livre de Lilian Faderman, *Surpassing the Love of Men* : étudier les amitiés féminines sans se poser « jamais la question de savoir si ces femmes entre elles avaient ou non des relations sexuelles » fait apparaître « toute une culture de la monosexualité féminine, de la vie entre femmes, qui est passionnante » (*Dits et écrits*, IV, *op. cit.*, texte n° 311, « Entretien avec M. Foucault », pp. 286-295, citation p. 289).

homosexuelle et son injonction de sortie du « placard », il fallait se présenter à la communauté, plutôt que s'afficher en dehors[1]. Le fait est qu'« à l'époque, ce texte ne pouvait plaire à personne ». Et Defert de s'interroger : « Foucault en percevait-il toutes les implications ? Je ne sais pas. »

## « ET IN ARCADIA EGO »

C'est pour la même raison, symétriquement, que la réédition de cet ouvrage s'impose aujourd'hui. L'identité ne va plus de soi ; sans renoncer à s'affirmer, elle s'interroge. Dans ce contexte nouveau, les « hermaphrodites » auxquels Foucault envisageait de consacrer un volume de l'*Histoire de la sexualité*[2] ont pu commencer, après les années 1980, à prendre la parole — et d'abord, à l'instar d'Herculine Barbin, à revendiquer un nom, au lieu de se le voir assigner : intersexe, indifféremment au masculin ou au féminin, soit une manière de ne pas présupposer l'inscription simultanée dans les deux sexes (hermaphrodite), sans pour autant se réduire à un seul (pseudo-hermaphrodite). Le mot nouveau ne figure évidemment pas dans les « Souvenirs » ; mais

1. George Chauncey, *Gay New York, 1890-1940*, trad. D. Eribon, Paris, Fayard, 2003 (éd. originale, *Gay New York : Gender, Urban Culture, and the Making of the Gay Male World, 1890-1940*, New York, BasicBooks, 1994).

2. Foucault l'annonce en ouverture du dossier. Voir aussi *Les Anormaux. Cours au Collège de France. 1974-1975*, EHESS, Gallimard, Éd. du Seuil, coll. Hautes Études, 1999, cours du 22 janvier 1975. Dans l'inventaire des archives en cours d'acquisition par la BNF (sans y être encore consultables) se trouve le dossier n° LXXXII, intitulé « Hermaphrodites » : si Foucault n'a publié qu'un texte sur le sujet (*Herculine Barbin* et sa préface), en plus des notes de lecture, un manuscrit autographe de 116 feuillets y est mentionné sans autres précisions.

pas davantage son ancêtre classique. C'est que, pour la médecine de l'époque comme pour l'auteur de ce récit exceptionnel à la première personne, il ne peut s'agir que de pseudo-hermaphrodisme — ou pour le dire autrement, s'il existe un vrai sexe, alors il n'est d'hermaphrodites que faux, apparents plutôt que réels.

Toute vérité a une histoire, Foucault nous l'a enseigné. « On a mis bien longtemps à postuler qu'un hermaphrodite devait avoir un seul, un vrai sexe. Pendant des siècles, on a admis tout simplement qu'il en avait deux. » Au Moyen Âge, « au moment de se marier, l'hermaphrodite était libre » de conserver le sexe qu'on lui avait assigné, ou pas. « Seul impératif : n'en plus changer », précise Foucault, « sous peine d'être considéré comme sodomite ». C'est au XVIIIᵉ siècle que les choses auraient basculé : « Désormais, à chacun, un sexe, et un seul ». En conséquence, pour la médecine, « les mélanges de sexes ne sont que des déguisements de la nature » (11). Ce remplacement du modèle médiéval à deux sexes par un modèle moderne à un sexe fait apparaître en creux l'argument que développera Thomas Laqueur en 1990 sur les représentations de l'anatomie : dans *La Fabrique du sexe*, cet historien montre qu'on passerait bien au XVIIIᵉ siècle d'un modèle à un autre — et d'un sexe à deux. C'est la figure en miroir de l'hermaphrodisme, que les représentations du sexe rendent pensable, ou pas : pour notre modernité, et ses deux sexes distincts, l'hermaphrodite n'en saurait compter qu'un[1].

1. Thomas Laqueur, *Making Sex : Body and Gender from the Greeks to Freud*, Cambridge, Harvard University Press, 1990 ; en français, *La Fabrique du sexe. Essai sur le corps et le genre en Occident*, trad. M. Gautier, Gallimard, 1992 (l'auteur évoque brièvement la proposition de Foucault, p. 124

On peut bien sûr discuter la thèse de Laqueur, et par conséquent celle de Foucault, en termes historiques[1]. Toutefois, on s'attachera plutôt ici à la critique théorique, par Judith Butler, de la préface qu'ajoute Foucault à l'édition américaine d'*Herculine Barbin*, et d'autant plus que les pages influentes de cette philosophe ont contribué à redonner vie aux « Souvenirs ». On le sait, *Trouble dans le genre* dessine un féminisme affranchi d'une féminité fondatrice, soit une véritable « subversion de l'identité »[2]. L'argument s'appuie en particulier sur la thèse foucaldienne : l'identité sexuelle ne préexiste pas à la loi ; elle se constitue dans le rapport de pouvoir. En 1976, c'était pour Foucault s'inscrire en faux contre les illusions de la « libération sexuelle ». En 1990, c'est pour Butler récuser la tentation d'un féminisme identitaire (le *French feminism* alors en vogue outre-Atlantique). Pour elle (comme pour lui), cela implique de « revenir de l'illusion d'un corps vrai au-delà de la loi ».

Or, dans sa déconstruction du « vrai sexe », Butler se propose « de lire Foucault contre lui-même ». Car si celui-ci « nous dit, dans l'*Histoire de la sexualité*, que la sexualité est coextensive au pouvoir », en présentant les « Souvenirs », il se montre « plein d'indulgence

---

[dans la traduction p. 142], mais Herculine Barbin est curieusement presque absente du livre).

1. Cf. Katharine Park et Robert A. Nye, « Destiny Is Anatomy », *The New Republic*, 18 février 1991, et Gail Paster, *The Body Embarrassed*, Ithaca, Cornell University Press, 1993. Pour une analyse de ce débat, voir Elsa Dorlin, « Autopsie du sexe », *Les Temps modernes*, n° 619, 2002, pp. 115-143.

2. Judith Butler, *Trouble dans le genre. Le féminisme et la subversion de l'identité*, trad. C. Kraus, préface d'Éric Fassin, La Découverte, 2005 (éd. originale : *Gender Trouble. Feminism and the Subversion of Identity*, Londres et New York, Routledge, 1990). On trouve les analyses consacrées à *Herculine Barbin* aux pages 199-215 (citations pp. 198-208 et 215, *passim* [dans l'édition en anglais pp. 93-106]).

sentimentale pour le discours de l'émancipation ». C'est une véritable contradiction que critique Butler : « il semble avoir une vision romantique de son monde des plaisirs. » De fait, pour Foucault, l'enfance et l'adolescence d'Alexina parmi les jeunes filles, « dans un monde d'élans, de plaisirs, de chagrins, de tiédeurs, de douceurs, d'amertume », où l'identité serait « sans importance », apparaît bien au moment de l'écriture, une fois qu'« elle est privée des délices qu'elle éprouvait à n'en pas avoir », comme « les "limbes heureuses" d'une non-identité » (16-17) — formule éloquente que Butler cite à plusieurs reprises. D'ailleurs, de ces « limbes » d'une communauté sans identité, le genre (grammatical) non conventionnel (c'est « heureux » qu'on attendrait selon l'usage, mais il est vrai que Foucault parle d'Herculine Barbin !) semble fait pour résonner avec les trois exceptions (qu'on aimerait dire « hermaphrodites ») de ces noms masculins qui changent de genre au pluriel : amours et délices féminines, mais aussi orgues religieuses...

Dans la préface de Foucault, on a donc le sentiment, continue Butler, que « renverser le "sexe" a pour effet de relâcher la multiplicité sexuelle primaire, une idée qui n'est pas si éloignée du polymorphisme primaire postulé en psychanalyse ou de la notion de Marcuse d'un Éros bisexuel originel et créatif avant d'être refoulé par une culture instrumentale ». C'est supposer « une sexualité "avant la loi", et même une sexualité n'attendant que de se libérer du carcan du "sexe" ». Or, ajoute-t-elle sans ambages, « son interprétation est tout à fait erronée dans la mesure où il méconnaît que ces plaisirs sont toujours déjà ancrés dans la loi omniprésente ». N'est-ce pas « la présence érotisée de la loi interdisant l'homosexualité qui produit ces plaisirs transgressifs dans l'injonction du confessionnal » ? En réalité, on le sait bien, même si on préfère l'oublier, le mythe d'Arcadie n'est que le fantasme nostalgique d'un bonheur perdu sans l'avoir jamais connu : « [L]es plaisirs et les désirs d'Herculine ne renvoient nullement à une innocence bucolique qui s'épanouit et prolifère avant l'imposition d'une loi juridique. »

## CONTRE-VÉRITÉ, CONTRE-ATTAQUE

Sans écarter cette critique forte, on peut néanmoins envisager une autre lecture. De même que l'enjeu de la préface de Foucault n'est pas exactement historique, on peut se demander s'il est à proprement parler théorique. Prenons au sérieux l'approche historique de la « vérité », en l'occurrence du sexe, qu'il revendique ici comme ailleurs : il ne saurait être question d'exhumer, sous les pavés du « vrai sexe » médico-légal, la plage d'un sexe authentique, ni même une ontologie des désirs et des plaisirs. On fera donc l'hypothèse qu'il ébauche une contre-vérité stratégique (ou peut-être simplement tactique), plutôt qu'historique ou théorique.

Une phrase de la préface, curieusement absente de sa version française, mais plusieurs fois citée par Butler, nous met sur la piste. Alors qu'il vient d'évoquer ce « monde d'élans », où l'identité sexuelle serait « sans importance », Foucault poursuit aussitôt : « C'était un monde où les sourires flottaient sans le chat[1]. » « L'énigmatique personnage » devient ici, l'allusion est claire,

---

1. La phrase se trouve dans l'édition américaine, *op. cit.*, p. XIII.

le chat du Cheshire, dont le corps et même le visage s'estompent chez Lewis Carroll, jusqu'à ne laisser subsister que son sourire (*grin*). N'est-ce pas suggérer l'irréalité que font entrevoir les « Souvenirs », « au-delà du miroir » du changement de sexe ? Comme le dit Alice, « j'ai déjà vu un chat sans sourire, mais jamais un sourire sans chat ». Autrement dit, jamais le sexe sans la loi — sinon au pays des merveilles.

L'image de ce chat, ou plutôt de sa disparition, est d'autant plus significative qu'elle suggère une forme d'immatérialité ; c'est dissiper l'illusion selon laquelle il suffirait d'opposer au pouvoir la matérialité corporelle. Il convient d'ailleurs d'avoir à l'esprit le chat du Cheshire pour relire une proposition non moins énigmatique, à la fin de *La Volonté de savoir*, sur « les corps et les plaisirs » : « C'est de l'instance du sexe qu'il faut s'affranchir si, par un retournement tactique des divers mécanismes de la sexualité, on veut faire valoir contre les prises du pouvoir, les corps, les plaisirs, les savoirs, dans leur multiplicité et leur possibilité de résistance. Contre le dispositif de sexualité, le point d'appui de la contre-attaque ne doit pas être le sexe-désir, mais les corps et les plaisirs[1]. » Il importe de prêter attention au mot « contre-attaque » : il s'agit bien de tactique.

On hésitera donc à parler de contradiction, comme si de tels passages n'étaient que les scories, dans l'œuvre de Foucault, d'une pensée pré-foucaldienne. Songeons du reste à l'entretien de 1977 où il explicite le mieux sa conception renouvelée du pouvoir, justement intitulé « Non au sexe roi[2] ». Sans doute balaie-t-il la

---

1. Michel Foucault, *La Volonté de savoir. Histoire de la sexualité*, t. I, Gallimard, 1976, p. 208.
2. Id., « Non au sexe roi », entretien avec B.-H. Lévy, *Le Nouvel*

« chansonnette antirépressive » pour souligner la nature
« productive » du pouvoir. N'allons pas croire pour
autant qu'il jette le bébé de l'émancipation avec l'eau du
bain, au risque d'écraser une fois encore la résistance
sous le pouvoir. « Les mouvements dits de "libération
sexuelle" doivent être compris, je crois, comme des
mouvements d'affirmation à partir de la sexualité. Ce
qui veut dire deux choses : ce sont des mouvements qui
partent de la sexualité, du dispositif de sexualité à l'intérieur duquel nous sommes pris, qui le font fonctionner
jusqu'à la limite ; mais, en même temps, ils se déplacent
par rapport à lui, s'en dégagent et le débordent. » Bref,
« c'est le retournement stratégique d'une même volonté
de vérité ».

Ainsi des homosexuels constitués par le discours
médical : « Soit, nous sommes ce que vous dites, par
nature, maladie ou perversion, comme vous voudrez.
Eh bien, si nous le sommes, soyons-le, et si vous voulez
savoir ce que nous sommes, nous vous le dirons nous-
mêmes mieux que vous. » De même pour les femmes,
retournant pareillement le stigmate de la pathologisa-
tion : « Les mouvements féministes ont relevé le défi.
Sexe nous sommes par nature ? Eh bien, soyons-le,
mais dans sa singularité, dans sa spécificité irréduc-
tibles. Tirons-en les conséquences et réinventons notre
propre type d'existence, politique, économique, culturelle... » Dans un cas comme dans l'autre, c'est bien
partir des termes imposés par la loi — médicale ou
autre : la constitution du sujet politique dans la relation de pouvoir à laquelle il résiste suppose de penser

---

*Observateur*, 12-21 mars 1977, repris dans *Dits et écrits*, *III*, *op. cit.*, texte
nº 200, pp. 256-269, citations pp. 260, 261 et 265.

la subjectivation dans (et non en dehors de) l'assujet-
tissement.

Il faut investir la loi, et non l'inverser ; la retourner plutôt que la renverser. Prétendre rejeter le pouvoir, en se réfugiant dans un lieu rêvé hors pouvoir,
n'est donc pas une solution. Mais en est-il vraiment ?
Sans doute doit-on se défier de la « doxa gauchiste »
et des « vivats » carnavalesques (« Vive la folie, vive la
délinquance, vive le sexe » !) ; mais après tout, précise
Foucault, « il y a des moments où ces simplifications
sont nécessaires. Pour retourner de temps en temps le
décor et passer du pour au contre, un tel dualisme est
provisoirement utile ». Il n'est donc pas de résolution
théorique définitive. Dans le jeu du pouvoir, nous ne
pouvons déployer que des pratiques temporaires, voire
précaires — du dehors ou du dedans. On verra qu'on
peut lire avec Foucault les « Souvenirs » comme une
tactique de contournement (la « monosexualité »), ou
bien au contraire comme une stratégie de retournement
(le changement de sexe) ; mais peut-être la vérité ultime
du texte réside-t-elle dans la contradiction entre deux
logiques, de l'extérieur ou de l'intérieur, qui transforme
cette vie en aporie.

## POLITIQUES ET SAVOIRS
### DE L'INTERSEXUALITÉ

Qu'on privilégie une lecture historique, théorique ou
tactique de l'argument foucaldien, l'enjeu est encore
et toujours politique. C'est qu'à la différence de l'hermaphrodisme hier, aujourd'hui, l'intersexualité relève
explicitement du pouvoir en même temps que du

savoir ; ou pour le dire autrement : l'anatomie révèle sa nature politique. Depuis plus de vingt ans, le mouvement intersexe et avec lui le champ de recherches qui s'est développé au sein des études de genre posent ainsi la question épistémologique de la construction du sexe comme une opération politique : le pouvoir de catégoriser est un pouvoir sur les corps. Aussi la question ne se limite-t-elle pas aux « cas », plus ou moins exceptionnels, d'intersexualité. En réalité, il en va des catégories qui organisent notre monde, soit de l'ordre sexuel et de sa violence, tant symbolique que physique, dont les personnes intersexes sont le révélateur en même temps que l'emblème.

Bien entendu, les études sur l'hermaphrodisme n'ont pas commencé dans les deux dernières décennies — ni même, il faut le rappeler, leur approche en termes de genre. Ce concept a été élaboré dans les années 1950, aux confins de la médecine, de la psychologie, de la psychanalyse et de la psychiatrie, par John Money à l'université Johns Hopkins ainsi que par Robert Stoller à l'université de Californie, à Los Angeles, à partir des cas limites de la différence des sexes : l'intersexualité (même si Money parle encore d'hermaphrodisme) et la transsexualité (le langage « psy » continuant de privilégier le mot et le diagnostic de « transsexualisme »)[1]. Money et Stoller s'emploient à faire rentrer dans l'ordre, grâce au genre (social), le désordre (biologique ou psychique). La perspective est inversée par le féminisme

---

1. Voir les synthèses postérieures de Robert Stoller, *Sex and Gender. On the Development of Masculinity and Feminity*, New York, Science House, 1968, et John Money et Anke A. Ehrhardt, *Man and Woman, Boy and Girl. Gender Identity from Conception to Maturity*, Baltimore et Londres, Johns Hopkins University Press, 1972.

des années 1970 : si le genre est utile, c'est pour ébranler les normes qui naturalisent la place des femmes au
nom du sexe. Quant aux nouvelles études sur l'intersexualité qui se développent dans les années 1990, c'est
le sexe qu'elles soumettent à la question du genre. On
est ainsi passé de la clinique normative du genre à la
critique des normes de genre, dans un premier temps,
puis dans un second du sexe lui-même.

L'enjeu sera moins désormais de comprendre ce
que sont les hermaphrodites, mais ce qu'on fait aux
intersexes. L'impatience de ces « patients » qui refusent
de se croire malades, sinon de la société, renverse le
regard : l'objet devient sujet, et en retour prend pour
objet la loi médicale qu'on lui impose. C'est en 1990
— l'année de parution des livres déjà cités de Laqueur
et Butler — que la psychologue Suzanne Kessler publie
dans la revue féministe *Signs* un article important sur
« la construction médicale du genre : la gestion des cas
d'enfants intersexes ». Il en ressort que le sexe est inséparablement une affaire de genre : sa vérité est inscrite moins dans une nature biologique que dans une
pratique médicale informée par des représentations
sociales de la différence des sexes[1]. Il ne s'agit pourtant
pas seulement de la prise en charge *a posteriori* de l'intersexualité, mais aussi bien de sa construction scientifique *a priori*. La question intersexe interroge donc
la biologie — non pas, bien sûr, sa réalité matérielle,
mais la discipline qui la prend pour objet en traçant
les frontières du pensable. C'est déplacer l'opposition

---

1. Suzanne J. Kessler, « The Medical Construction of Gender : Case Manage-
ment of Intersexed Infants », *Signs. Journal of Women in Culture and Society*,
vol. XVI, n° 1, automne 1990, pp. 3-26 ; voir aussi son livre *Lessons from the
Intersexed*, New Brunswick et Londres, Rutgers University Press, 2002.

entre genre et sexe, pour rappeler la nature sociale du savoir biologique.

La biologiste féministe Anne Fausto-Sterling remet ainsi en cause l'évidence binaire du sexe dès 1993, dans un article retentissant paru dans *The Sciences* : « Les cinq sexes. Pourquoi mâle et femelle ne sont pas suffisants[1]. » La catégorie de sexe n'est pas plus naturelle qu'une autre ; c'est qu'elle suppose une catégorisation — savante ou populaire, en tout cas sociale. Dès lors, pourquoi pas cinq, au lieu de deux ? La binarité procède d'un découpage conventionnel ; on peut certes le juger commode, à condition toutefois de ne pas l'ériger en une vérité absolue rendant impensables les exceptions à la règle qu'on s'est donnée. Peut-être vaudrait-il mieux sinon appréhender le sexe comme un « continuum », avec une distribution statistique irrégulière, à moins de juger préférable, comme Vincent Guillot, porte-parole du mouvement intersexe, d'évoquer un « archipel du genre » pour éviter de reconduire encore le présupposé d'une polarité binaire. Car il s'agit bien, *in fine*, de genre plus que de sexe. Kessler reproche d'ailleurs à Fausto-Sterling, qui lui donnera raison, de conférer toujours « un statut prépondérant aux organes génitaux » : l'essentiel, « c'est le genre adopté par la personne, sans rapport avec ce qui se trouve sous ses vêtements ».

---

1. L'article de 1993 vient d'être publié dans un volume en français, en même temps qu'un second qui en propose la relecture, paru dans la même revue en 2000 : Anne Fausto-Sterling, *Les Cinq Sexes. Pourquoi mâle et femme ne sont pas suffisants*, trad. A.-E. Boterf, préface de Pascale Molinier, Payot, 2013 ; la citation au paragraphe suivant, extraite de l'article de 2000, se trouve p. 89. Le livre classique de l'auteure, *Sexing the Body* (2000), vient également d'être traduit en français sous le titre *Corps en tous genres. La dualité des sexes à l'épreuve de la science*, trad. O. Bonis et Fr. Bouillot, nouvelle préface de l'auteure et postface d'Évelyne Peyre, Catherine Vidal et Joëlle Wiels, La Découverte/Institut Émilie du Châtelet, 2012.

Prendre pour objet les catégories biologiques en même temps que les pratiques médicales n'implique pas de mettre entre parenthèses les personnes inter-sexes qu'elles concernent au premier chef — bien au contraire. De fait, des travaux s'emploient depuis lors à faire entendre leur voix, soit en même temps que le traitement médical, l'expérience des sujets[1]. Fait plus remarquable, les militants prennent la parole — et jusque dans le champ scientifique. C'est en réponse à l'article de Fausto-Sterling de 1993 que Cheryl Chase (aujourd'hui Bo Laurent) annonce dans une lettre également publiée dans *The Sciences* la création de la Société intersexe d'Amérique du Nord, ou ISNA (Inter-sex Society of North America)[2]. Les circulations entre le savant et le politique sont constantes et explicites. C'est vrai dès la définition du mot « intersexe » : « Celui ou celle qui naît avec un corps dont quelqu'un a décidé qu'il n'était pas typiquement mâle ou femelle[3]. »

En langue anglaise, les travaux se multiplient donc à partir des années 1990. En français aussi, les recherches se développent, depuis les années 2000, aux confins de l'histoire des sciences, des études féministes et du mili-tantisme intersexe[4]. On y retrouve les mêmes enjeux

---

1. Voir en particulier Sharon E. Preves, *Intersex and Identity. The Contested Self*, New Brunswick (N. J.), et Londres, Rutgers University Press, 2003 ; Katrina Karzakis, *Fixing Sex. Intersex, Medical Authority, and Lived Expe-rience*, Durham et Londres, Duke University Press, 2008.

2. Voir aussi Cheryl Chase, « Hermaphrodites with Attitude : Mapping the Emergence of Intersex Political Activism », *GLQ*, vol. IV, n° 2, 1998, pp. 189-211.

3. Alice D. Dreger et April M. Herndon, « Progress and Politics in the Intersex Rights Movement. Feminist Theory in Action », *GLQ*, vol. XV, n° 2, 2009, pp. 199-224, citation p. 200.

4. Sans en rendre compte ici, on proposera seulement quelques jalons parmi les premiers travaux en français — nourris bien sûr des travaux de langue anglaise. Cynthia Kraus, « La bicatégorisation par sexe à l'''épreuve

majeurs — le traitement médical, la catégorisation biologique et le fructueux va-et-vient entre savant et politique. Comme outre-Atlantique, la référence à Herculine Barbin est bien présente : chaque année désormais, au Canada et ailleurs, le mouvement intersexe commémore sa naissance le 8 novembre. Et lorsqu'un numéro de revue est consacré en 2008 à « Féminisme et luttes intersexes », il s'ouvre sur une « Lettre à Herculine Barbin », à la première personne[1]. C'est bien sûr que les « Souvenirs » en ont donné le modèle : prendre la parole au lieu d'être parlé, refuser de se laisser parler.

Si cet enjeu est d'une telle importance, c'est que la violence de la loi, en l'occurrence médicale, ne l'est pas moins. Il faut rappeler ici l'histoire emblématique, tant pour la médecine qui s'en glorifiait à l'époque que pour les militants intersexes qui ont depuis dénoncé son cauchemar, de David Reimer — longtemps connu sous le double prénom, masculin et féminin, de John/Joan. Paradoxalement, il ne s'agit nullement d'intersexualité[2] :

---

de la science" : le cas des recherches en biologie sur la détermination du sexe chez les humains », *in* Delphine Gardey et Ilana Löwy (dir.), *L'Invention du naturel. Les sciences et la fabrication du féminin et du masculin*, Archives contemporaines, 2000. Ilana Löwy, « Intersexe et transsexualités : les technologies de la médecine et la séparation du sexe biologique du sexe social », *Cahiers du Genre*, « La distinction entre sexe et genre. Une histoire entre biologie et culture », n° 34, 2003/1, pp. 81-104. Elsa Dorlin, « Sexe, genre et intersexualité. La crise comme régime théorique », *Raisons politiques*, n° 18, mai 2005, pp. 117-137.

1. « À qui appartiennent nos corps ? », *Nouvelles Questions féministes*, vol. XXVII, n° 1, 2008 ; le numéro, coordonné par Cynthia Kraus, Céline Perrin, Séverine Rey, Lucie Gosselin et Vincent Guillot, croise non seulement « féminisme et luttes intersexes », mais aussi activistes et universitaires (Guillot y lance cette image d'un « archipel du genre »).

2. Qu'après le « pseudo-hermaphrodisme » de Barbin, ce « faux » cas fonde la réflexion sur l'intersexualité « vraie » mérite réflexion, d'autant plus qu'on en trouve une autre déclinaison, choisie et non subie, avec une figure presque aussi célèbre dans ce champ, Agnes : son « passing » qu'analyse l'ethnométhodologue Harold Garfinkel ne concerne pas seulement son genre

un accident de circoncision ayant, dans sa première
année, privé ce garçon de pénis, Money se fit fort de
le transformer en fille par l'ablation des testicules, en
même temps que par l'éducation. Par la suite, l'enfant
allait toutefois refuser la vaginoplastie et les œstrogènes,
avant de choisir à l'adolescence de redevenir un garçon.
Le problème, explique Butler dans un article de 2001,
ce n'est pas seulement la violence de Money, au nom
de la « construction sociale » ; c'est aussi la violence
symbolique symétrique de son rival Milton Diamond,
pour imposer la vérité des hormones. Sans doute Reimer aura-t-il mené une vie d'homme (ne s'est-il pas
marié ?) ; reste qu'il finit, à l'instar d'Abel Barbin, par se
suicider. C'est que, par-delà leur antagonisme, Diamond
et Money se retrouvent dans l'évidence d'une vérité (l'un
ou l'autre sexe) qui, comme à l'époque de Tardieu, s'impose et doit s'imposer au sujet, sans reste — sans jamais
faire place à la réalité proprement intersexe[1].

## LE GENRE DE L'AUTEUR

Depuis la publication des « Souvenirs », une évidence
est rarement interrogée : le féminin inscrit dans le titre

---

(passer pour femme), mais aussi sa condition (se faire passer pour intersexe,
alors qu'elle est une personne trans, afin de se faire opérer — comme on le
découvre, avec l'auteur, dans le post-scriptum). Voir Harold Garfinkel (avec
Robert Stoller), « Passing and the Managed Achievement of Sex Status in an
"Intersexed Person" », *Studies in Ethnomethodology*, Englewood Cliffs (N. J.),
Prentice Hall, 1967, pp. 116-185, et le post-scriptum pp. 285-288 (en français
*Recherches en ethnométhodologie*, trad. M. Barthélemy *et al.*, PUF, 2007).
    1. Judith Butler, « Doing Justice to Someone. Sex Reassignment and Alle-
gories of Transsexuality », *GLQ*, vol. VII, n° 4, 2001, pp. 621-636. L'article est
repris dans *Undoing Gender*, New York et Londres, Routledge, 2004, trad.
M. Cervulle, *Défaire le genre*, Éd. Amsterdam, 2006.

(avec le nom d'Alexina), comme si le changement d'état civil n'avait pas eu lieu. En fait, Abel disparaît ainsi tout à fait avec son suicide, laissant derrière lui, en même temps qu'un manuscrit, la jeune femme qu'il a été. Paradoxalement, si la science est unanime pour déclarer la vérité du sexe masculin depuis 1860 jusqu'à sa mort et au-delà, c'est bien l'« histoire d'Alexina B. » que Tardieu nous donne à lire — plutôt que d'Abel, né Herculine. D'ailleurs, les coupes que celui-ci opère dans le récit, lui conférant la forme qui nous est restée, concernent uniquement la vie d'homme de Barbin : « Ici s'achève la partie vraiment intéressante des souvenirs du jeune B... Il en reprend bien quelques années plus tard la suite interrompue ; mais, à partir de ce jour, sa triste vie se consume en réflexions amères sur son sort. » Dès lors, « son journal n'est plus qu'une suite de plaintes et de déclamations contradictoires ».

Pour Tardieu, « le jeune B. » est un homme, mais seule sa vie de femme serait intéressante. La raison en est claire : c'est celle-ci qui pose problème. Car « les conséquences fatales que peut entraîner une erreur commise dès la naissance dans la constitution de l'état civil », les coupes dans le manuscrit l'attestent, ce sont les émois plus que les plaintes, autrement dit, les amours saphiques plutôt que le suicide : le malheur de Barbin, ce serait « l'erreur » initiale, et non le « vrai sexe » enfin reconnu[1]. La compassion que manifeste Tardieu à l'égard de « ce pauvre malheureux » doit donc se lire en regard de son impitoyable dénonciation du péril pédérastique : si Abel est un pseudo-hermaphrodite,

---

1. Voir Laurie Laufer, « À propos d'Herculine Barbin : "le vrai sexe" », *Silène*, parution en ligne le 23 décembre 2010 (*http://www.revue-silene.com/f/*).

en l'occurrence un homme qui s'ignorait, alors il est un vrai hétérosexuel — et tout rentre dans l'ordre.

Il est d'autant plus frappant que Foucault opte aussi pour le féminin qu'il redouble même dans son titre : *Herculine Barbin dite Alexina B.* (l'édition en anglais ne retient que le premier prénom). On comprend certes qu'il veut ainsi résister au « vrai sexe » imposé par la médecine et le droit : « [I]l est clair que ce n'est pas du point de vue de ce sexe enfin trouvé ou retrouvé qu'elle écrit. Ce n'est pas l'homme qui parle enfin. » Choisir le féminin, ce n'est donc pas affirmer qu'il serait une femme, mais qu'« elle est toujours pour elle-même sans sexe certain » (17). On pourrait discuter ce point ; mais il n'empêche : par ce titre au féminin, Foucault répète, en vue d'en inverser le sens, le geste de Tardieu. Il est vrai qu'opter pour le masculin, soit le « vrai sexe » médical de Barbin, l'aurait pareillement réitéré. La question qui se pose est donc la suivante : quelle stratégie ou tactique pratiquer pour ne pas valider, fût-ce pour le dénoncer, l'empire sans faille de la loi ? Ou bien la résistance serait-elle toujours déjà vouée à l'échec ?

Pour sa part, Butler conclut ainsi sa relecture critique de Foucault : « La loi a une étrange capacité de ne produire que des rébellions dont elle peut garantir qu'elles échoueront d'elles-mêmes — par fidélité à la loi — et des sujets qui, pour être complètement assujettis, n'ont d'autre choix que de réitérer la loi qui les a créés[1]. » Au-delà des divergences, dans leur lecture d'*Herculine Barbin*, les deux philosophes se rejoignent du reste sur un point essentiel : « la loi l'oblige à changer de sexe », résume Butler, tandis que Foucault y insiste à maintes

---

1. J. Butler, *Trouble dans le genre, op. cit.*, p. 215.

reprises dans la préface : « obligé de changer de sexe », ce « héros malheureux de la chasse à l'identité » est « de ces individus auxquels la médecine et la justice du XIXᵉ siècle demandaient avec acharnement quelle était leur véritable identité sexuelle » ; tel est le « dur jeu de la vérité que les médecins imposeront plus tard à l'anatomie incertaine d'Alexina » (14-15).

Or, à la relecture, force est de reconnaître que les « Souvenirs » racontent une tout autre histoire. C'est leur auteur qui, de son vivant et au-delà, impose sa vérité au monde — et non l'inverse. Reprenons en effet le fil du récit. Barbin confesse d'abord à l'abbé H... ses amours avec Sara (77), en parlant moins de sexe que de sexualité : le péché avoué l'emporte sur l'erreur révélée. L'ecclésiastique aura beau manquer de charité, il n'en respectera pas moins le secret de la confession. Après quelques pages, un deuxième abbé, loin de prescrire à Barbin la vérité, par bienveillance, va jusqu'à lui conseiller de mentir dans le but d'entrer en religion ! « Gardez-vous bien de renouveler l'aveu que vous m'avez fait : un couvent de femmes ne vous admettrait pas. » Barbin le reconnaît : « Je ne m'étais pas préparé à un pareil résultat » (85). C'est seulement à sa troisième tentative que sa demande est entendue, à l'occasion d'une confession qui a tout d'une consultation. Mgr de B..., évêque de Saintes, déclare d'abord : « je ne puis être juge en pareille matière » ; et si celui-ci l'introduit à un médecin, le docteur H... (Chesnet), c'est avec son aval : « M'autorisez-vous à user de vos secrets ? » (100).

Dira-t-on que la loi du sexe n'est pas religieuse, mais médicale ? Certes. Encore faut-il rappeler qu'avant Chesnet, le docteur T... avait d'abord été appelé en consultation pour des douleurs intenses. Lors de l'examen, ce médecin finit par trouver « l'explication qu'il cherchait », et qui « dépassait toutes ses prévisions ». Toutefois, on note qu'il n'en trahit rien à Mme P…, ni à personne : « Épouvanté du secret qu'il avait surpris, il préféra l'ensevelir à tout jamais » (91-93). Sans doute en ira-t-il autrement avec Chesnet ; mais il est clair que c'est à la demande explicite de son « patient » : « Il avait compris toute la gravité de la mission qui lui était confiée », « et je dois dire qu'il était à sa hauteur » (100). Si Barbin accepte de livrer ses « plus chers secrets », c'est bien que la médecine ne lui apprend rien qui ne lui soit déjà connu. La conclusion est d'ailleurs révélatrice : « la science s'inclina convaincue » (101). C'est annoncer la formule de Tardieu : « la science et la justice furent contraintes de reconnaître l'erreur. »

« Je l'avais provoqué » (102) : tout se passe comme si Barbin mobilisait la science, après la religion, pour autoriser son changement de sexe légal, autrement dit, pour valider sa vérité — y compris à titre posthume, puisque le récit anticipe sur l'écho de sa mort : « quelques médecins feront un peu de bruit autour de ma dépouille » (126)… Cette phrase n'engage-t-elle pas à réviser la conclusion de Foucault : « un cadavre auquel des médecins curieux finissent par attribuer la réalité d'un sexe mesquin » (21) ? Il convient en conséquence de repenser le statut de l'« Histoire d'Alexina B. » dans son rapport à la médecine. Selon la préface, « ni l'affaire d'Alexina ni ses souvenirs ne semblent avoir, à l'époque, soulevé beaucoup d'intérêt » (18). Mais les travaux historiques ont depuis remis en cause cette affirmation : « Alexina/Abel Barbin fut sans aucun doute un des hermaphrodites les plus célèbres du XIXᵉ siècle », précise Alice Dreger. « Beaucoup de médecins se référaient à son cas dans leurs rapports sur d'autres hermaphrodites. » Cependant, « sa célébrité ne peut être attribuée qu'en partie à son anatomie inhabituelle » : après tout, c'était un cas somme toute assez banal d'« hypospadias », « soit d'un homme affecté d'une déformation du pénis ». En fait, cette renommée tient au fait que « Barbin s'était rendu-e disponible à l'extrême par ses souvenirs sensationnels et finalement son suicide rue de l'École-de-Médecine ».

Il devient possible de renverser la perspective : on découvre que, désormais, l'hermaphrodisme sera lu par la médecine à la lumière du cas Barbin, c'est-à-dire aussi à la lumière qu'en donnent les « Souvenirs », document autobiographique unique en son genre. En effet, si Dreger prend sa mort pour point de départ, c'est non seulement parce que alors se cristallise la définition gonadique du « vrai sexe » (ovaires ou testicules), mais aussi du fait que « la publicité autour des souvenirs de Barbin, de sa vie et de sa mort, fait prendre conscience aux médecins de la fréquence et de l'urgence du problème de l'hermaphrodisme. Ils comprirent pour la première fois ses dangers, et l'importance de diagnostics précoces et précis du "vrai sexe" ». (Telle sera d'ailleurs au siècle suivant la logique d'un Money, préconisant d'agir dès la prime enfance ; et c'est contre ces interventions pour le moins prématurées que s'insurge le mouvement intersexe.) En particulier, à l'instar de Tardieu dans la première partie de son ouvrage, beaucoup « exprimèrent une horreur profonde devant l'éventualité que deux personnes puissent s'unir par le mariage sans que nul, pas même elles, ne s'aperçoive qu'elles étaient toutes deux "vraiment" du même sexe (gonadique)[1] ».

---

1. Alice D. Dreger, *Hermaphrodites and the Medical Invention of Sex*,

Bref, Barbin serait moins le révélateur d'une médica-
lisation de l'hermaphrodisme qui lui préexiste que son
catalyseur : par son récit, il est en quelque sorte l'auteur
du « vrai sexe », avant de devenir son objet.

Aussi peut-on désormais, comme elle l'avait fait avec
Foucault, lire Butler contre elle-même pour garder une
place à l'*agency* de Barbin — la capacité d'agir qui en
fait l'auteur de sa vie, jusque dans l'échec. Revenons aux
« Souvenirs » : c'est lui, on l'a vu, qui veut à tout prix
révéler son « vrai sexe », une fois ses amours consom-
mées. « Une année s'écoula de la sorte !... » (75) :
cette ellipse temporelle le confirme, c'est bien autour
de sa volonté de changer de sexe aux yeux du monde
que Barbin agence sa narration. Il dénonce d'ailleurs la
« faute grave » du médecin qui a respecté le secret, et
même Mme P... n'est pas « à l'abri de tout reproche »
(93), avec « son incrédulité vraie ou jouée qui dépasse
toute croyance » (104). On peut gloser avec lui sur
cette « énigme » (95) (crainte du scandale, amour
pour sa fille ou encore affection pour Alexina). Il ne
faudrait pourtant pas qu'elle occulte l'autre énigme,
décisive pour le récit : si personne ne voulait savoir,
ou dire, pourquoi Barbin tenait-il tant à faire advenir
sa « vérité » ? Sans doute peut-il ironiser sur l'hypo-
crisie générale : « Tous nous trompions et nous étions
trompés, et cela de la meilleure foi du monde » (104).
Mais n'est-ce pas plutôt que la vérité du sexe n'a tant
d'importance qu'à ses yeux — et non dans le regard des
autres, tout au plus intrigués ou mal à l'aise ?

Le désir de vérité de Barbin, irréductible à la seule

---

Cambridge (Massachusetts) et Londres, Harvard University Press, 1998,
citations pp. 51, 28 et 119.

« volonté de savoir » médicale, éclaire d'ailleurs un déplacement dans la pensée de Foucault dont témoigne le cours qu'il prononce au Collège de France l'année même de la publication du « vrai sexe »[1]. En effet, le philosophe y substitue au « savoir-pouvoir » le « gouvernement par la vérité » : c'est ainsi qu'il analyse les « régimes de vérité » (ou de « véridiction ») à partir de l'exemple privilégié de l'aveu dans le christianisme. Or « l'acte de vérité », dans lequel se nouent les « rapports entre l'αὐτός et l'alèthurgie, entre le moi-même et le dire-vrai », n'est pas l'assignation d'une vérité par le pouvoir (religieux, médical ou autre). C'est plutôt, pour l'homme chrétien, « l'obligation de manifester en vérité ce qu'il est lui-même ». N'est-ce pas là l'enjeu de l'écriture autobiographique pour l'élève des Sœurs : raconter sa vérité ? Barbin n'est pas « dite », elle (ou il) se dit.

Le récit lui-même est d'ailleurs organisé par son auteur autour de l'enjeu du « vrai sexe » (ou vaut-il mieux dire du « vrai genre » ?). Sans doute est-il question, à deux reprises, des « métamorphoses d'Ovide » (109 et 41) ; pour autant, la fable d'Hermaphrodite et de Salmacis n'est jamais évoquée, qui donne son nom à l'hermaphrodisme. En revanche, c'est Achille qui est nommé : le héros grec avait été caché parmi les filles de Lycodème par sa mère Thétis, qui redoutait sa mort à la guerre. Or il s'agit, non de métamorphose, mais de travestissement ; Achille finit d'ailleurs par trahir sa nature virile quand le rusé Ulysse lui présente des armes... C'est dire que le sexe n'aurait rien d'ambigu.

---

1. Michel Foucault, *Du gouvernement des vivants. Cours au Collège de France. 1979-1980*, EHESS, Gallimard, Éd. du Seuil, coll. « Hautes Études », 2012, citations pp. 49 et 99. Voir (même si *Herculine Barbin* n'y figure pas) l'utile « Situation du cours » par Michel Senellart, pp. 321-350.

Une deuxième référence est encore plus éclairante :
quand l'affaire est rendue publique, un journal aurait
comparé Barbin « à Achille filant aux pieds d'Omphale »
(113). Or c'est là une aventure d'Hercule, et non
d'Achille (au XIXᵉ siècle, le lecteur imprégné de culture
classique ne s'y trompait sans doute pas). Peut-être la
presse jouait-elle ainsi sur le nom d'Herculine, qu'Abel
préfère effacer. Reste qu'avec cette légende, on passe du
travesti à l'inversion : Omphale fait l'homme, et Hercule
la femme. Mais on le sait : pareille exception ne peut
que confirmer la règle d'une vérité du sexe fondée sur le
genre. C'est d'ailleurs ce qui sépare le récit de Barbin de
la nouvelle licencieuse d'Oscar Panizza qui s'en inspire
à la fin du siècle : alors que l'« Histoire d'Alexina B. »
pose la question du sexe et de la sexualité en termes de
genre, « Un scandale au couvent » ne parle de sexe que
pour pimenter la sexualité, sans guère se soucier du
genre. À la différence de l'auteur des « Souvenirs », qui
se plie à l'ordre hétérosexuel, celui du *Concile d'amour*,
interdit par la censure, se bat en effet contre la répres-
sion sexuelle — jusqu'à la folie.

## DU « GENDER » AU GENRE

Quelle est donc cette vérité qui importe tant à Barbin ? Notons d'abord que, pour l'auteur-e des « Souvenirs », au contraire des médecins, elle ne tient guère à
l'anatomie. Sans doute le récit est-il peu disert sur ce
point (central dans le rapport de Chesnet)[1] ; mais sa

---

1. La lecture d'*Herculine Barbin* a déclenché l'écriture de *Middlesex*, roman
publié en 2002 dont le succès international a contribué à populariser la
question intersexe. À en croire l'auteur, Jeffrey Eugenides, c'est précisément

discrétion renvoie surtout à un manque d'intérêt. C'est d'ailleurs ce qui déplaît tant à Barbin dans l'examen médical : non pas la vérité, qu'il appelle de ses vœux, mais sa définition anatomique qui lui est ainsi imposée. C'est pourquoi l'aménorrhée est évoquée à mots couverts dans ses pages : à dix-sept ans, « mon état, sans présenter d'inquiétude, n'était plus naturel » ; mais « pour mon compte je n'en étais nullement *effrayée* » (41). En revanche, « je m'apercevais que mon état causait des inquiétudes. La science ne s'expliquait pas *certaine absence* » (62). C'était un problème pour la médecine, mais non pour Alexina.

La pilosité, qui « attirait souvent des plaisanteries » (49), semblait la gêner davantage : n'est-elle pas lue, socialement, comme un signe du sexe — presque au même titre que « l'aversion » pour les « travaux manuels » (52) qui contredit sa « nature » supposée, de classe autant que de sexe ? Néanmoins, c'est surtout une fois que Barbin s'identifie comme Abel qu'il endosse d'un coup un rôle masculin : soudain, sa virilité détonne, et le « costume d'homme » (113) qu'il revêt viendra seulement confirmer ses « allures tant soit peu cavalières » (111). Autrement dit, le genre est un effet du sexe — non pas au sens anatomique, inscrit dans la biologie, mais celui, sans ambiguïté, que lui promet enfin l'état civil.

Pourquoi vouloir changer de sexe ? Pour le comprendre, il faut s'attacher enfin à la vérité du genre qu'impose l'auteur dans son récit — et d'abord au sens

---

en réaction contre ce récit jugé désuet : dans le *New York Times* (1er janvier 2003), il évoque la frustration qu'avait provoquée en lui la rhétorique d'une pensionnaire d'école religieuse, ses sentiments convenus et sa pudeur anatomique...

grammatical, puisqu'il en joue avec insistance, dès la première page. Tardieu le relève déjà, dans une note d'explication à la première page du récit : « Les mots imprimés ici en italique sont soulignés dans le manuscrit, car l'auteur a mis une visible affectation à parler de lui tantôt au masculin, et tantôt au féminin. » Toutefois, le médecin n'en déduit rien : pour lui, la vérité du sexe est simple, et ne s'embarrasse pas d'une telle « affectation »... Quant à Foucault, il n'en fait pas mention, même dans sa préface. Son objet, c'est l'assignation médicale plus que l'invention littéraire de l'auteur. Il s'intéresse au sexe, plutôt qu'au genre — un concept dont viennent alors de s'emparer les féministes.

En revanche, dans l'édition américaine, une autre note, apparemment rédigée par le traducteur, relève cette singularité imparfaitement restituée : « Dans la traduction du texte en anglais, il est difficile de rendre le jeu des adjectifs masculins et féminins qu'Alexina accorde avec elle-même. » On notera au passage que la note, s'écartant de l'usage des « Souvenirs », en parle exclusivement au féminin. « Ils sont, pour la plupart, au féminin avant qu'elle ne possède Sara, et ensuite au masculin. Mais ce système, que dénote l'usage de l'italique, ne semble pas décrire la conscience d'être une femme en train de devenir la conscience d'être un homme ; c'est plutôt le rappel ironique des catégories grammaticales, médicales et juridiques que doit utiliser le langage, mais que contredit le contenu du récit[1]. »

Voire. Il faudrait d'abord préciser que l'italique, pour signaler le genre, est tout au long du récit réservé

---

1. La note se trouve uniquement dans l'édition américaine, *op. cit.*, pp. XIII-XIV.

au féminin (à une exception près, en première page,
où l'épithète ne renvoie pas à Barbin : « *soucieux* et
*rêveur, mon front* »... [25]) : le masculin, en écriture romaine, semble ainsi aller de soi. Mais l'édition
française ayant été presque recouverte par la version
américaine, ce jeu du genre a été négligé, voire oublié
— y compris dans la lecture de Butler[1]. Il est pourtant
remarquable. Effectivement, le basculement du féminin au masculin (qui prévaut dès lors, sauf retour au
passé) coïncide avec la première nuit d'amour : « Sara
*m'appartenait* désormais !!... *Elle était à moi !!!...* »
(74) L'italique ne marque plus ici l'accord grammatical ; mais s'il indique encore un genre, c'est celui de la
sexualité : il s'agit bien, pour citer la note américaine,
de « posséder ». Le masculin commence à la phrase suivante : « Ce qui, dans l'ordre naturel des choses, devait
nous séparer dans le monde, nous avait unis !!! Qu'on se
fasse, s'il est possible, une idée de notre situation à tous
deux ! Destinés à vivre dans la perpétuelle intimité de
deux sœurs »... L'italique disparaît, mais, avec le pluriel,
c'est le masculin qui l'emporte (« unis », « tous deux »),
même pour parler sororité (« destinés »).

Le genre résulte en fait de la conjonction hétérosexuelle : si le masculin peut enfin apparaître au singulier (« l'un »), c'est qu'il est défini dans la relation,
soulignée en fin de phrase : « il nous fallait maintenant
dérober à tous le secret foudroyant qui nous *liait* l'un à
l'autre !!! » L'occurrence suivante vient d'ailleurs confirmer que le genre procède de la sexualité : « j'étais moins

---

1. Je découvre toutefois, en corrigeant cette postface, l'ouvrage d'Anna
Livia, *Pronoun Envy. Literary Uses of Linguistic Gender*, New York et Oxford,
Oxford University Press, 2000 ; les pages consacrées à Herculine Barbin
(pp. 177-180) anticipent en partie ce paragraphe et le suivant.

troublé, mais je n'avais pas la force de lever les yeux
sur madame P..., pauvre femme qui ne voyait en moi
que l'*amie* de sa fille, tandis que j'étais son amant !... »
(74) « Mon cher Camille », dira désormais Sara,
le genre anticipant sur le sexe : « Dans nos délicieux
tête-à-tête, elle se plaisait à me donner la qualification
masculine que devait, plus tard, m'accorder l'état civil »
(80). Peu importe qu'il s'agisse, Barbin le dira plus
tard un peu mystérieusement, de « joies incomplètes »
(124) : c'est le fait de la sexualité qui est déterminant
plus que ses modalités, jamais précisées. La « matrice
hétérosexuelle » de Butler apparaît bien comme le
principe de la différence des sexes : à défaut de naître
homme, on le devient dans le coït hétérosexuel.

Barbin doit désormais advenir « en vérité » : « Il me
faudrait, tôt ou tard, rompre avec un genre de vie qui
n'était plus le mien » (75). Sa « nature » doit s'accomplir socialement : « Nous avions fait le doux rêve d'être
à jamais l'un à l'autre, à la face du ciel, c'est-à-dire par
le mariage » (75). Si le genre est un effet de la sexualité, celle-ci prend tout son sens dans l'institution fami-
liale : le désir d'enfant qu'expriment les amants avec
« émotion » (96), c'est aussi un espoir de mariage :
« Qui sait !!! » (97) Encore une fois, la biologie n'est
que l'instrument du genre. Ainsi de l'éventualité d'une
grossesse, soulevée en termes allusifs : « Sara me fit
une confidence dont je fus atterré » : « Si ses craintes
étaient fondées, nous étions perdus l'un et l'autre ! »
Mais n'ouvre-t-elle pas aussi une possibilité nuptiale ?
« [T]out en redoutant un pareil événement, je l'appelais
de tous mes vœux. Cela arrivant, rien ne pouvait s'opposer à un mariage avec Sara » (87).

Reste un ultime paradoxe. Barbin change de genre

dans le rapport sexuel qui l'unit à Sara ; dans l'acte hété-rosexuel, soit dans ce lien inséparablement sexuel et social, il accomplit donc la loi du genre. Toutefois, pour devenir un homme aux yeux du monde, et donc changer de sexe, il prend la décision, à première vue incom-préhensible, de renoncer à cette liaison : « l'heure de la séparation est arrivée », déclare-t-il à sa bien-aimée dès que la vérité de son sexe est reconnue par la méde-cine, sans même « regretter les liens si chers que j'allais briser par ma propre volonté » (103). Les regrets vien-dront plus tard, en se remémorant l'affection « mater-nelle » de Mme P... : « si j'avais su diriger la situation, mon avenir était changé. Aujourd'hui peut-être je serais son gendre » (118), soit la consécration sociale du genre par le mariage. Or, finalement, le masculin n'ap-paraît plus comme l'avènement du lien hétérosexuel ; il signifie la solitude qui condamne à l'asexualité. La première page des « Souvenirs » annonce déjà, au mas-culin, leur fin amère (25) : « J'ai beaucoup souffert, et j'ai souffert seul ! seul ! abandonné de tous ! » En « juge » impitoyable, dans ces dernières pages conser-vées malgré tout par Tardieu, Abel mettra en procès l'hétérosexualité : « femmes avilies », « plaies infectes », « hideux accouplements » (121), « hommes dégradés » (122)... Lui-même, renonçant à toute sexualité, partici-perait « de la nature des anges » (122), « immatérielle, virginale » (123).

Pour comprendre cet échec, revenons à la phrase qui, dans le récit, marque le passage au masculin : « Ce qui, dans l'ordre naturel des choses, devait nous séparer dans le monde, nous avait unis » (74). Comprenons : c'est l'homosocialité qui a permis aux deux « amies » une intimité que le « vrai sexe » d'Alexina aurait dû leur interdire. Mais la proposition peut s'inverser, une fois qu'Herculine devient Abel : ce qui, dans l'ordre naturel des choses, aurait dû les unir dans le monde, les a séparés. Car le rapport hétérosexuel qui fait advenir le « vrai sexe » d'Abel l'écarte de sa maîtresse. C'est que deux logiques s'opposent autant qu'elles se complètent : homosocialité et hétérosexualité. Si le désir pour Sara naît de la première, il débouche sur la seconde ; mais, en retour, celle-ci s'avère incompatible avec celle-là. Paradoxalement, c'est parce qu'il se découvre homme dans l'amour hétérosexuel qu'Abel doit renoncer à son amour pour une femme.

Émerge en effet un désir impossible, soit la tension entre deux vérités incompatibles du genre qu'exprime la nostalgie d'un temps qui n'a jamais existé, conciliant les désirs inconciliables — celui où, « jeune homme, parmi des jeunes filles, mes sœurs, mes compagnes, cette douce et intime confraternité [*sic*] suffisait à ma vie » (124). On est donc loin de la simple « monosexualité » féminine, quand « la non-identité sexuelle » rêvée par Foucault « s'égare au milieu de tous ces corps semblables » (18). Car le corps de Barbin est assurément dissemblable, à la fois vécu et perçu comme tel dans ce gynécée. Ainsi, en miroir de l'aporie de cette vie d'hétérosexualité homosociale, c'est la pensée du philosophe qu'on découvre prise dans une antinomie, entre critique politique de l'identité et fantasme identitaire.

Pierre Rivière était à la fois « auteur du crime et auteur du texte », sans que l'un s'inscrive dans la succession chronologique de l'autre : « le meurtre et le récit du meurtre sont consubstantiels[1]. » Foucault pourrait en

---

1. M. Foucault, *Moi, Pierre Rivière…*, *op. cit.*, pp. 332 et 322.

dire autant d'Abel, né Herculine Adélaïde, dite Alexina
— qui apparaît dans les « Souvenirs » sous le prénom de
Camille : il (ou elle) est l'auteur(e) de sa vie, en même
temps que de son récit, l'une et l'autre se confondant
dans le « cas » Barbin. Mais le philosophe de *La Volonté
de savoir* ne parvient pas à le voir tout à fait ainsi ; c'est
qu'il est alors engagé dans une réflexion sur la vérité du
sexe — le « vrai sexe » bien sûr, mais aussi, « [a]u fond
du sexe, la vérité » (14). Il s'emploie donc à démonter
le travail inséparable du savoir et du pouvoir qu'impose
dans le sexe, et par le sexe, la discipline médicale, au
risque d'occulter, lui aussi, l'*agency*.

N'allons pas à l'inverse confondre cette capacité d'agir
avec une liberté illusoire, affranchie de la loi. Si Barbin
parvient à imposer son « vrai sexe », il (ou elle) ne saurait cependant déjouer la vérité du genre, soit la règle
du jeu qui bannit les amours hétérosexuelles de l'intimité homosociale. Sans doute, par la sexualité, devient-
elle un homme ; toutefois, son changement de sexe le
condamne désormais à l'asexualité. C'est également vrai
de son nouveau genre, encore empreint d'une identité
passée : « je ferais un détestable mari », déclare Abel ;
en effet, « Par une exception dont je ne me glorifie pas,
il m'a été donné, avec le titre d'homme, la connaissance
intime, profonde de toutes les aptitudes, de tous les
secrets du caractère de la femme » (129). Plutôt que de
« non-identité », on pourrait donc parler d'une identité
double : le « pseudo-hermaphrodite », selon le critère
médical, s'avère *in fine*, à défaut d'être mâle et femelle,
à la fois féminin et masculin. Bref, l'auteur des « Souvenirs » se révèle, en termes de genre sinon de sexe,
*vraiment* hermaphrodite.

# DU MÊME AUTEUR

*Aux Éditions Gallimard*

HISTOIRE DE LA FOLIE À L'ÂGE CLASSIQUE (1972).

RAYMOND ROUSSEL (1963).

LES MOTS ET LES CHOSES (1966).

L'ARCHÉOLOGIE DU SAVOIR (1969).

L'ORDRE DU DISCOURS (1971).

MOI, PIERRE RIVIÈRE, AYANT ÉGORGÉ MA MÈRE, MA SŒUR ET MON FRÈRE... UN CAS DE PARRICIDE AU XIXᵉ SIÈCLE *(ouvrage collectif)* (1973).

SURVEILLER ET PUNIR (1975).

HISTOIRE DE LA SEXUALITÉ 1 : LA VOLONTÉ DE SAVOIR (1976).

HISTOIRE DE LA SEXUALITÉ 2 : L'USAGE DES PLAISIRS (1984).

HISTOIRE DE LA SEXUALITÉ 3 : LE SOUCI DE SOI (1984).

HISTOIRE DE LA SEXUALITÉ 4 : LES AVEUX DE LA CHAIR (2018).

HERCULINE BARBIN DITE ALEXINA B., présenté par M. Foucault (1978).

LE DÉSORDRE DES FAMILLES. LETTRES DE CACHET DES ARCHIVES DE LA BASTILLE *(en collaboration avec Arlette Farge)* (1982).

DITS ET ÉCRITS 1954-1988 (1994)

    I. 1954-1969.

    II. 1970-1975.

    III. 1976-1979.

    IV. 1980-1988.

*Édition sous la direction de Daniel Defert et François Ewald, avec la collaboration de Jacques Lagrange.*

PHILOSOPHIE. ANTHOLOGIE (2004).

ŒUVRES 1 et 2 (Bibliothèque de la Pléiade).

COURS AU COLLÈGE DE FRANCE

1970-1971 : *Leçons sur la volonté de savoir,* Paris, Hautes Études/Gallimard/Le Seuil (2011).

1971-1972 : *Théories et institutions pénales,* Paris, Hautes Études/Gallimard/Le Seuil (2015).

1972-1973 : *La Société punitive,* Paris, Hautes Études/Gallimard/Le Seuil (2013).

1973-1974 : *Le Pouvoir psychiatrique,* Paris, Hautes Études/Gallimard/Le Seuil (2003).

1974-1975 : *Les Anormaux,* Paris, Hautes Études/Gallimard/Le Seuil (1999).

1975-1976 : « *Il faut défendre la société* », Paris, Hautes Études/Gallimard/Le Seuil (1997).

1977-1978 : *Sécurité, territoire, population,* Paris, Hautes Études/Gallimard/Le Seuil (2004).

1978-1979 : *Naissance de la biopolitique,* Paris, Hautes Études/Gallimard/Le Seuil (2004).

1979-1980 : *Du gouvernement des vivants,* Paris, Hautes Études/Gallimard/Le Seuil (2012).

1980-1981 : *Subjectivité et vérité,* Paris, Hautes Études/Gallimard/Le Seuil (2014).

1981-1982 : *L'Herméneutique du sujet,* Paris, Hautes Études/Gallimard/Le Seuil (2001).

1982-1983 : *Le Gouvernement de soi et des autres I,* Paris, Hautes Études/Gallimard/Le Seuil (2008).

1983-1984 : *Le Gouvernement de soi et des autres II : Le Courage de la vérité,* Paris, Hautes Études/Gallimard/Le Seuil (2009).

*Chez d'autres éditeurs*

NAISSANCE DE LA CLINIQUE. UNE ARCHÉOLOGIE DU REGARD MÉDICAL (P.U.F.) (1963).

LES MACHINES À GUÉRIR *(ouvrage collectif)* (Éditions Mardaga) (1979).

DIRE VRAI SUR SOI-MÊME (Vrin) (2017).

DISCOURS ET VÉRITÉ (Vrin) (2017).

L'ORIGINE DE L'HERMÉNEUTIQUE DE SOI (Vrin) (2017).

*Composition : Nord Compo*
*Achevé d'imprimer par Normandie Roto Impression s.a.s.,*
*à Lonrai (61) en mars 2021*
*Dépôt légal : mars 2021*
*Numéro d'imprimeur : 2100990*

ISBN : 978-2-07-291804-9 / Imprimé en France

**372703**